Cours familier de l

Volume 26

Alphonse de Lamartine

Alpha Editions

This edition published in 2023

ISBN : 9789357968256

Design and Setting By
Alpha Editions
www.alphaedis.com
Email - info@alphaedis.com

As per information held with us this book is in Public Domain.
This book is a reproduction of an important historical work. Alpha Editions uses the best technology to reproduce historical work in the same manner it was first published to preserve its original nature. Any marks or number seen are left intentionally to preserve its true form.

Contents

CLIe ENTRETIEN
MOLIÈRE ET SHAKESPEARE

I

Voilà Molière.

Voyons Shakespeare.

Jugeons ces deux représentants de deux grands peuples.

L'un est l'art dans un pays déjà civilisé: Molière.

L'autre est la nature dans un pays déjà cultivé aussi, mais sans goût encore. Voltaire a dit un *sauvage ivre*; nous ne dirons pas une telle grossièreté, mais nous disons un novice de génie dans un pays à l'aurore de sa littérature.

Ces deux hommes procèdent d'eux-mêmes et d'eux seuls; ils sortent l'un et l'autre de la même souche, la souche primitive de la population: l'artisan. Ils sont grands hommes par hasard. Nous avons vu comment Molière entre malgré sa famille dans une troupe de comédiens, où l'amour le convie et le retient; voyons comment Shakespeare échappe même à la famille et à l'amour pour aller entrer dans une troupe de comédiens aussi par la porte des plus ignobles emplois; ni dans l'un ni dans l'autre, aucune prétention, aucun système, le besoin de vivre, de gagner son pain; à côté du pain ils trouvent, par surcroît, la gloire. Nous nous acharnons en ce moment à attendre des légions de grands hommes par l'instruction obligatoire. J'attends plutôt les grands hommes par nécessité. Ce n'est pas la politique qui enfante le génie, c'est la nature.

ENTRETIEN CLI

II

Shakespeare arrive à Londres pauvre et inconnu. Il débute comme un *vendeur de contre-marques* à la porte d'un de nos théâtres de boulevard. Il garde et promène les chevaux des spectateurs pendant que ceux-ci regardent la pièce. Ce triste métier lui donne un pain amer. À la fin, il s'élève de cette abjection au grade d'*aboyeur*, c'est-à-dire qu'il appelle les domestiques pour venir mettre le pied à l'étrier de leur maître. De temps en temps, il entre lui-même dans les coins obscurs de la salle et il boit l'avant-goût du talent dans la coupe du pauvre. Cela le fait réfléchir et il se dit: Ne pourrais-je pas en faire autant? Il laisse la bride de ses chevaux et il tente quelques *farces* grossières qui font rire la *taverne*. N'est-ce pas la même chose que Molière suivant la Béjart en Languedoc et débutant, par amour, par les rapsodies de Sganarelle et de Georges Dandin, imitées de mauvais théâtres italiens?

III

Victor Hugo, après une consciencieuse et pénible étude, raconte ainsi la statistique de ces tréteaux.

«Les décors étaient simples. Deux épées croisées, quelquefois deux lattes signifiaient une bataille; la chemise par-dessus l'habit signifiait un chevalier; la jupe de la ménagère des comédiens sur un manche à balai signifiait un palefroi caparaçonné. Un théâtre riche, qui fit faire son inventaire en 1598, possédait «des membres de maures, un dragon, un grand cheval avec ses jambes, une cage, un rocher, quatre têtes de turcs et celle du vieux Méhémet, une roue pour le siége de Londres et une bouche d'enfer.» Un autre avait «un soleil, une cible, les trois plumes du prince de Galles avec la devise: ICH DIEN, plus six diables, et le pape sur sa mule.» Un acteur barbouillé de plâtre et immobile signifiait une muraille; s'il écartait les doigts, c'est que la muraille avait des lézardes. Un homme chargé d'un fagot, suivi d'un chien et portant une lanterne, signifiait la lune; sa lanterne figurait son *clair*. On a beaucoup ri de cette mise en scène de clair de lune, devenue fameuse par *le Songe d'une nuit d'été*, sans se douter que c'est là une sinistre indication de Dante. Voir l'*Enfer*, chant XX. Le morisque, épiant si le moment d'entrer en scène était venu, ou le menton glabre d'un comédien jouant les rôles de femme. *Glabri histriones*, dit Plaute. Dans ces théâtres abondaient les gentilshommes, les écoliers, les soldats et les matelots. On représentait là la tragédie de lord Buckhurst, *Gorboduc ou Ferrex et Porrex*, *la mère Bombic*, de Lily, où l'on entendait les moineaux crier *phip phip*, *le Libertin*, imitation du *Convivado de Piedra* qui faisait son tour d'Europe, *Felix and Philiomena*, comédie à la mode, jouée d'abord à

Greenwich devant la «reine Bess,» *Promos et Cassandra*, comédie dédiée par l'auteur George Whetstone à William Fletwood, recorder de Londres, le *Tamerlan* et le *Juif de Malte* de Christophe Marlowe, des interludes et des pièces de Robert Greene, de George Peele, de Thomas Lodge et de Thomas Kid, enfin les comédies gothiques, car, de même que la France a *l'Avocat Pathelin*, l'Angleterre a *l'Aiguille de ma commère Gurton.* Tandis que les acteurs gesticulaient et déclamaient, les gentilshommes et les officiers avec leurs panaches et leurs rabats de dentelle d'or, debout ou accroupis sur le théâtre, tournant le dos, hautains et à leur aise au milieu des comédiens gênés, riaient, criaient, tenaient des brelans, se jetaient les cartes à la tête, ou jouaient ensemble dans l'ombre, sur le pavé; parmi les pots de bière et les pipes, on entrevoyait le peuple. Ce fut par ce théâtre-là que Shakespeare entra dans le drame.

Tel était le théâtre vers 1580, à Londres, sous «la grande reine;» il n'était pas beaucoup moins misérable, un siècle plus tard, à Paris, sous «le grand roi;» et Molière, à son début, dut, comme Shakespeare, faire ménage avec d'assez tristes salles. Il y a, dans les archives de la Comédie-Française, un manuscrit inédit de quatre cents pages, relié en parchemin et noué d'une bande de cuir blanc. C'est le journal de Lagrange, camarade de Molière. Lagrange décrit ainsi le théâtre où la troupe de Molière jouait par ordre du sieur de Rataban, surintendant des bâtiments du roi: «... trois poutres, des charpentes pourries et étayées, et la moitié de la salle découverte et en ruine.» Ailleurs, en date du dimanche 15 mars 1671, il dit: «La troupe a résolu de faire un grand plafond qui règne par toute la salle, qui, jusqu'au dit jour 15, n'avait été couverte que d'une grande toile bleue suspendue avec des cordages.» Quant à l'éclairage et au chauffage de cette salle, particulièrement à l'occasion des frais extraordinaires qu'entraîna la *Psyché*, qui était de Molière et de Corneille, on lit ceci: «chandelles, trente livres; concierge, à cause du feu, trois livres.» C'étaient là les salles que «le grand règne mettait à la disposition de Molière.»

IV

Shakespeare obtint à la fin un rôle muet dans une pièce; il fut chargé d'apporter son casque au géant Agrapardo.

En 1589, il écrivit sa première pièce *Periclès*, qui frappa quelques lecteurs; en 1597 il écrivit *Roméo et Juliette*, copie exacte d'un *libretto* italien, solennisé et éternisé par une touchante et sublime déclamation de Shakespeare. Six ans après, il écrivit et représenta *Hamlet*, puis *Othello*, puis la belle tragédie historique de la mort de Jules César. Il ne livrait point de manuscrit, il écrivait chaque rôle de la pièce sur des feuilles détachées qu'il distribuait à ses acteurs.

Après la mort de son père, en 1599, il devint chef de troupe et entrepreneur de théâtre.

Mort obscur quelques années après, il ne ressuscita un peu que sous la Restauration, et donna alors, sous le nom de Davenant, réputé son fils, ses pièces. Dryden le déclara hors d'usage; on abattit sa maison, on coupa son mûrier, tout fut dit.

Voltaire, en revenant d'Angleterre en 1728, en parle, comme on sait: *barbare de génie, sauvage ivre.* Sa gloire fut ainsi ensevelie jusqu'au grand comédien Garrik, qui la fit revivre. Depuis Garrik, elle redevint immense; elle dépassa même la portée du réel. La vraie immortalité a le temps d'attendre, elle est éternelle. Hugo en fait plus qu'un homme, une date du genre humain. Examinons juste ce qu'il mérite; prenons ses pièces, et voyons qui juge mieux de Hugo ou de Voltaire.

V

Hugo dit: «Shakespeare, c'est le globe dans la sphère; il y a le tout, il y a l'homme. Ici, le mystère extérieur; là, le mystère intérieur. Lucrèce, c'est l'être; Shakespeare, c'est l'existence. De là tant d'ombre dans Lucrèce; de là tant de fourmillement dans Shakespeare. L'espace, le bleu, comme disent les Allemands, n'est certes pas interdit à Shakespeare. La terre voit et parcourt le ciel; elle le connaît sous ses deux aspects, obscurité et azur, doute et espérance. La vie va et vient dans la mort. Toute la vie est un secret, une sorte de parenthèse énigmatique entre la naissance et l'agonie, entre l'œil qui s'ouvre et l'œil qui se ferme. Ce secret, Shakespeare en a l'inquiétude. Lucrèce est; Shakespeare vit. Dans Shakespeare, les oiseaux chantent, les buissons verdissent, les cœurs aiment, les âmes souffrent, le nuage erre, il fait chaud, il fait froid, la nuit tombe, le temps passe, les forêts et les foules parlent, le vaste songe éternel flotte. La séve et le sang, toutes les formes du fait multiple, les actions et les idées, l'homme et l'humanité, les vivants et la vie, les solitudes, les villes, les religions, les diamants, les perles, les fumiers, les charniers, le flux et le reflux des êtres, le pas des allants et venants, tout cela est sur Shakespeare et dans Shakespeare, et, ce génie étant la terre, les morts en sortent. Certains côtés sinistres de Shakespeare sont hantés par les spectres. Shakespeare est frère de Dante. L'un complète l'autre. Dante incarne tout le surnaturalisme, Shakespeare incarne toute la nature; et comme ces deux régions, nature et surnaturalisme, qui nous apparaissent si diverses, sont dans l'absolu la même unité, Dante et Shakespeare, si dissemblables pourtant, se mêlent par les bords et adhèrent par le fond; il y a de l'homme dans Alighieri, et du fantôme dans Shakespeare. La tête de mort passe des mains de Dante dans les mains de Shakespeare; Ugolin la ronge, *Hamlet* la questionne. Peut-être même dégage-t-elle un sens plus profond et un plus haut enseignement dans le second que dans le premier. Shakespeare la secoue et en fait tomber des étoiles. L'île de Prospero, la forêt des Ardennes, la bruyère d'Armuyr, la plate-forme d'Elseneur, ne sont pas moins éclairées que les sept cercles de la spirale dantesque par la sombre réverbération des hypothèses. Le que sais-je? demi-chimère, demi-vérité, s'ébauche là comme ici. Shakespeare autant que Dante laisse entrevoir l'horizon crépusculaire de la conjecture. Dans l'un comme dans l'autre, il y a le possible, cette fenêtre du rêve ouverte sur le réel. Quant au réel, nous y insistons, Shakespeare en déborde; partout la chair vive; Shakespeare a l'émotion, l'instinct, le cri vrai, l'accent juste, toute la multitude humaine avec sa rumeur. Sa poésie, c'est lui, et en même temps, c'est vous. Comme Homère, Shakespeare est élément. Les génies recommençants, c'est le nom qui leur convient, surgissent à toutes les crises décisives de l'humanité; ils résument les phases et complètent les révolutions. Homère marque en civilisation la fin de l'Asie et le commencement de l'Europe; Shakespeare marque la fin du moyen âge. Cette clôture du moyen âge, Rabelais et Cervantès la font aussi; mais, étant uniquement railleurs, ils ne donnent qu'un aspect partiel; l'esprit de Shakespeare est un total. Comme Homère, Shakespeare est un homme cyclique. Ces deux génies, Homère et Shakespeare, ferment les deux premières portes de la barbarie, la porte antique et la porte gothique. C'était là leur mission, ils l'ont accomplie; c'était là leur tâche, ils l'ont faite.

«Homère, Job, Eschyle, Isaïe, Ézéchiel, Lucrèce, Juvénal, saint Jean, saint Paul, Tacite, Dante, Rabelais, Cervantès, Shakespeare, ceci est l'œuvre des immortels géants de l'esprit humain.—Aux yeux des songeurs, ces génies occupent des trônes dans l'idéal.»

Cette strophe n'a qu'un défaut: elle exagère, elle n'est pas vraie; l'enthousiasme y devient engouement.

VI

Examinons ce qui justifie cet engouement devenu immortalité dans le nom et dans l'œuvre de Shakespeare; prenons le point culminant de cette œuvre; selon moi, c'est le drame de *Macbeth*.

Qu'est-ce que *Macbeth*? c'est l'*assassinat* politique, l'ambition jusqu'à la mort, jusqu'au délire, jusqu'au remords, jusqu'au désespoir. Régner ou mourir; mourir, non-seulement pour cette vie, mais même pour l'autre; mourir éternellement!

Macbeth, jeune et pur encore, est le héros de cette ambition. Il a une femme jeune, belle, ambitieuse aussi, lady Macbeth. L'amour se joint en elle à sa passion pour son mari, et dans son mari à sa passion pour elle; il est impossible que ces deux passions n'enfantent pas le monstre du forfait.

Le drame s'ouvre par un conciliabule de sorcières ou de fées du moyen âge, pendant une tempête, sur une bruyère montagneuse, aride et désolée. Elles y préparent leur enchantement et s'envolent à travers l'air impur.

Le roi d'Écosse, le vertueux Duncan, passe sur la bruyère; les combattants le rejoignent en armes et lui racontent les exploits de Macbeth et de Banquo, ses deux généraux, qui ont vaincu le roi de Norwége et les troupes insurgées de son propre pays, dirigées par le *thane de Cawdor*. Le récit de leurs exploits est homérique et héroïque, comme ces combats primitifs des héros du Nord; il enthousiasme le roi Duncan de reconnaissance et d'admiration pour Macbeth. Le roi lui donne en souveraineté le pays qu'il a reconquis, et la scène change (*Macbeth et Banquo*). «Salut à Macbeth, qui est roi!» s'écrient les sorcières.

Angus, messager du roi Duncan, les aborde et les invite à se rendre au palais de Fores pour y recevoir l'hospitalité. Ils le suivent.

SCÈNE V

À Inverness.—Un appartement du château de Macbeth. ENTRE LADY MACBETH, lisant une lettre de Macbeth.

«Les sorcières sont venues à moi au jour du succès, et j'ai appris par le plus incontestable témoignage qu'en elles résidait une intelligence plus qu'humaine. Lorsque je brûlais de leur faire d'autres questions, elles se sont confondues dans l'air et y ont disparu. J'étais encore éperdu de surprise, lorsque des envoyés du roi sont venus me saluer *thane de Cawdor*. C'était sous ce titre que les sœurs du Destin s'étaient d'abord adressées à moi, me renvoyant ensuite aux événements à venir par ces autres paroles: *Salut, toi qui seras roi*. J'ai cru que cela était bon à te faire connaître, chère compagne de ma grandeur: je n'ai pas voulu te frustrer de ta portion de joie, en te laissant ignorer les grandes destinées qui me sont promises. Place ceci dans ton cœur. Adieu.»—(*Lady Macbeth reprend en rêvant*:)

Tu es thane de Glamis et de Cawdor, et tu seras aussi ce qu'on t'a prédit.—Cependant, je crains ta nature trop abondamment composée du lait des tendresses humaines pour te conduire par le chemin le plus court. Tu voudrais bien t'agrandir, tu n'es pas sans ambition; mais tu ne la voudrais pas accompagnée du crime: ce que tu veux orgueilleusement, tu le voudrais saintement; tu ne voudrais pas être déloyal, et cependant tu voudrais acquérir déloyalement. Noble Glamis, ce que tu veux obtenir te crie: «Voilà ce qu'il te faut faire si tu prétends obtenir.» Voilà ce que tu crains de faire plutôt que tu ne désires que cela ne soit pas fait. Hâte-toi d'arriver, que je transmette à ton oreille le courage qui m'anime, et que ma langue valeureuse dompte tout ce qui pourrait arrêter ta route vers ce cercle d'or dont les destins et cette assistance surnaturelle semblent, d'accord, vouloir te couronner.—(*Entre un serviteur.*) Quelles nouvelles apportes-tu?

LE SERVITEUR.

Le roi arrive ici ce soir.

LADY MACBETH.

Il faut que tu aies perdu le sens. Ton maître n'est-il pas avec lui? Si ce que tu dis était vrai, il m'aurait avertie de me préparer à recevoir le roi.

LE SERVITEUR.

Avec votre permission, rien n'est plus vrai; notre thane est en chemin: un de mes camarades a été chargé de le devancer. Hors d'haleine, et presque mort de fatigue, à peine a-t-il eu la force d'accomplir son message.

LADY MACBETH.

Prends soin de lui; il apporte de grandes nouvelles! (*Le serviteur sort.*) La voix est près de manquer au corbeau lui-même, dont les croassements annoncent l'entrée fatale de Duncan dans l'intérieur de mes murailles.—Venez, venez, esprits qui excitez les pensées homicides; dépouillez-moi de mon sexe en cet instant, et remplissez-moi du sommet de la tête jusqu'à la plante des pieds, remplissez-moi de la plus atroce cruauté. Épaississez mon sang; fermez tout accès, tout passage aux remords; et que la nature, par aucun retour d'une pitié repentante, ne vienne ébranler mon cruel projet, ou faire trêve à son exécution. Venez dans mes mamelles changer mon lait en fiel, ministres du meurtre; venez, quelque part que vous soyez, substances invisibles, occupées à épier le moment de nuire au genre humain.—Viens, épaisse nuit; enveloppe-toi des plus noires fumées de l'enfer, afin que mon poignard acéré ne voie pas la blessure qu'il va faire, et que le ciel ne puisse, perçant d'un regard ta ténébreuse couverture, me crier: *Arrête! arrête!*—(*Entre Macbeth.*) Illustre Glamis, digne Cawdor, élevé encore au-dessus de ces deux titres par le salut qui les a suivis, ta lettre m'a transportée au delà de ce présent rempli d'ignorance, et je sens déjà l'avenir exister pour moi.

MACBETH.

Mon cher amour, Duncan arrive ici ce soir.

LADY MACBETH.

Et quand part-il d'ici?

MACBETH.

Demain; c'est son projet.

LADY MACBETH.

Oh! jamais le soleil ne verra ce demain.—Votre visage, mon cher thane, est un livre où l'on pourrait lire d'étranges choses. Pour cacher vos desseins dans cette circonstance, prenez le maintien qui convient à la circonstance; que vos yeux, vos gestes, votre langue donnent la bienvenue; paraissez tel que la fleur innocente, mais que le serpent soit caché dessous. Il faut avoir soin de l'hôte qui nous arrive: c'est moi que vous chargerez de dépêcher le grand ouvrage de cette nuit, après lequel nos nuits et nos jours ne reconnaîtront plus d'autre règle que le pouvoir souverain.

MACBETH.

Nous en reparlerons.

LADY MACBETH.

Songez seulement à montrer un visage serein: changer de visage est toujours un signe de crainte.—Laissez tout le reste à mes soins.

(Ils sortent.)

VII

Le roi Duncan entre avec sa suite, plein de joie et de confiance, il parcourt du regard le château de Macbeth, où il a pris asile.

SCÈNE VI

Toujours à Inverness, devant le château de Macbeth.—(Hautbois. Cortége composé des gens de Macbeth.) ENTRENT DUNCAN, MALCOLM, DONALBAIN, BANQUO, LENOX, MACDUFF, ROSSE, ANGUS; suite.

DUNCAN.

Ce château occupe une riante situation; l'air, doux et léger, pénètre agréablement dans les sens calmés.

BANQUO.

Cet hôte des étés, le martinet, habitant des temples, cherchant en ces lieux le séjour qu'il aime, nous annonce que l'haleine des cieux les caresse avec amour. Pas une frise saillante, pas une corniche, pas un seul angle commode où cet oiseau n'ait suspendu son lit et le berceau de ses enfants. Partout où ces oiseaux nichent et se voient fréquemment, je l'ai remarqué, l'air est toujours pur.

(Entre lady Macbeth.)

DUNCAN.

Voyez, voilà notre honorable hôtesse.—L'amitié qui s'attache à nous nous cause quelquefois des embarras que nous accueillons encore avec des remerciements, comme des marques d'affection. Ainsi je suis pour vous une occasion d'apprendre à prier Dieu de nous récompenser de vos peines, et à nous remercier de l'embarras que nous vous donnons.

LADY MACBETH.

Tout notre effort, fût-il doublé et redoublé, ne serait qu'une faible et solitaire offrande à opposer à ce large amas d'honneurs dont votre majesté accable notre maison. Vos anciens bienfaits, et les dignités nouvelles que vous venez d'accumuler sur les premières, nous laissent sous l'engagement de prier pour vous.

DUNCAN.

Où est le thane de Cawdor? Nous courions sur ses talons, et voulions être son introducteur auprès de vous; mais il est bon cavalier, et la force de son amour, aussi aiguë que son éperon, lui a fait atteindre sa maison avant nous. Belle et noble lady, nous serons votre hôte pour cette nuit.

LADY MACBETH.

Vos serviteurs ne se regarderont jamais eux-mêmes, les leurs et tout ce qu'ils possèdent, que comme des biens tenus en compte, pour les faire sans cesse, et selon le plaisir de votre grandeur, servir à la balance de ce qu'elle a droit de réclamer comme sien.

DUNCAN.

Donnez-moi votre main, conduisez-moi vers notre hôte; nous l'aimons grandement et continuerons de répandre sur lui nos bienfaits.—Avec la permission de notre hôtesse.

(Ils sortent.)

SCÈNE VII

Toujours à Inverness.—Un appartement dans le château de Macbeth. Des hautbois, des flambeaux. Entrent et passent sur le théâtre un maître d'hôtel et plusieurs domestiques portant des plats et des choses de service. Entre ensuite MACBETH.

MACBETH.

Si, lorsque ce sera fait, c'était fini, le plus tôt fait serait le meilleur. Si l'assassinat tranchait à la fois toutes ses conséquences, et que le moment qui le termine lui livrât le succès; qu'après ce seul coup on pût dire: Voilà tout, voilà qui finit tout, au moins ici-bas, sur ce rivage, sur cette île étroite du temps, nous jetterions au hasard la vie à venir.—Mais, en pareil cas, nous subissons toujours cet arrêt, que les sanglantes leçons enseignées par nous tournent, une fois apprises, à la ruine de leur inventeur. La Justice, à la main toujours égale, fait accepter à nos propres lèvres le calice empoisonné que nous avons composé nous-mêmes.—Il est ici sous la foi d'une double sauvegarde. D'abord je suis son parent et son sujet, deux puissants motifs contre cette action; ensuite je suis son hôte et devrais fermer la porte à son meurtrier, loin de saisir moi-même le couteau. D'ailleurs ce Duncan est né d'un caractère si doux, il a rempli sa tâche de roi d'une manière si irréprochable, que ses vertus, comme des anges à la voix de trompette, s'élèveront contre la damnable atrocité du crime de sa destruction; et la pitié, semblable à un pauvre petit nouveau-né tout nu, fendant les tourbillons, ou portée comme un chérubin au ciel sur les invisibles courriers de l'air, frappera si vivement tous les yeux de l'horreur de cette action que leurs larmes en éteindront le souffle du vent. Je n'ai pour presser les flancs de mon projet d'autre éperon que cette ambition qui, s'élançant et se retournant sur elle-même, retombe sans cesse sur lui.—(*Entre lady Macbeth.*) Eh bien, quelles nouvelles?

LADY MACBETH.

Il a bientôt soupé: pourquoi avez-vous quitté la salle?

MACBETH.

M'a-t-il demandé?

LADY MACBETH.

Sans doute; ne le saviez-vous pas?

MACBETH.

Nous n'avancerons pas plus loin dans ce dessein. Il vient de me combler d'honneurs, et j'ai acquis parmi les hommes de toutes les classes une réputation brillante comme l'or, dont je dois me parer dans l'éclat de sa première fraîcheur, au lieu de m'en dépouiller si vite.

LADY MACBETH.

Était-elle dans l'ivresse cette espérance dont vous vous étiez fait honneur? a-t-elle dormi depuis? et ne se réveille-t-elle maintenant que pour devenir si pâle et si livide à l'aspect de ce qu'elle a fait de si bon cœur? Dès ce moment je commence à juger par là de ton amour pour moi. Craindras-tu de montrer tes actions et ta puissance égales à ton désir? aspireras-tu à ce que tu regardes comme l'ornement de la vie pour vivre en lâche à tes propres yeux, laissant, comme le pauvre chat du proverbe, le *je n'ose pas* se placer sans cesse auprès du *je voudrais bien*!

MACBETH.

Laisse-moi en paix, je t'en prie; j'ose tout ce qui appartient à un homme: celui qui ose davantage n'en est pas un.

LADY MACBETH.

À quelle bête apparteniez-vous donc lorsque vous vous êtes ouvert à moi de cette entreprise? Quand vous avez osé la former, c'est alors que vous étiez un homme; et en osant devenir plus grand que vous n'étiez, vous n'en seriez que plus homme. Ni l'occasion ni le lieu ne vous secondaient alors, et cependant vous vouliez les faire naître l'une et l'autre: elles se sont faites d'elles-mêmes; et vous, par l'à-propos qu'elles vous offrent, vous voilà défait! J'ai allaité, et je sais combien il est doux d'aimer le petit enfant qui suce mon lait: eh bien, au moment où il me souriait, j'aurais arraché ma mamelle de ses molles mâchoires, et je lui aurais fait sauter la cervelle, si je l'avais juré comme vous avez juré ceci.

MACBETH.

Si nous allions manquer notre coup?

LADY MACBETH.

Nous, manquer notre coup! Songez seulement à cheviller votre courage en quelque lieu d'où il ne bouge plus, et nous ne manquerons pas notre coup. Lorsque Duncan sera endormi (et le fatigant voyage qu'il a fait aujourd'hui va l'entraîner dans un sommeil profond), j'aurai soin, moi, à force de vin et de santés, de décomposer si bien ses deux chambellans, que leur mémoire, cette gardienne des idées, ne sera plus qu'une fumée, et le réservoir de leur raison un alambic. Lorsqu'un sommeil brutal accablera comme la mort leurs corps saturés de boisson, que ne pouvons-nous pas exécuter, vous et moi, sur Duncan laissé sans défense? Que ne pouvons-nous pas imputer à ses officiers pleins de vin, qui porteront pour nous le crime de ce grand meurtre?

MACBETH.

Ne mets au jour que des fils, car la trempe de ton âme inflexible ne peut convenir qu'à des hommes.—En effet, ne pourra-t-on pas croire, lorsque nous aurons teint de sang, dans leur sommeil, ces deux gardiens de sa chambre, et frappé avec leurs poignards, que ce sont eux qui ont fait le coup?

LADY MACBETH.

Et qui osera le voir autrement, lorsque nous ferons tout retentir de nos douleurs et des cris que nous donnerons à sa mort?

MACBETH.

Me voilà décidé; et tous les agents de l'action sont tendus en moi à cette terrible exécution. Sortons et amusons-les par les plus beaux dehors: la trahison du visage doit cacher les secrets du cœur d'un traître.

(Ils sortent.)

MACBETH et son serviteur.

Va, dis à ta maîtresse de sonner un coup de cloche quand ma boisson sera prête. Va te mettre au lit. (*Le domestique sort.*)—Est-ce un poignard que je vois là devant moi, la poignée tournée vers ma main? Viens, que je te saisisse.—Je ne te tiens pas, et cependant je te vois toujours. Fatale vision, n'es-tu pas sensible au toucher comme à la vue? ou n'es-tu qu'un poignard né de ma pensée, le produit mensonger d'une tête fatiguée du battement de mes artères? Pourtant je te vois, et sous une forme aussi palpable que celui que je tire en ce moment. Tu me marques le chemin que j'allais suivre, et l'instrument dont j'allais me servir.—Ou mes yeux sont de mes sens les seuls abusés, ou bien ils valent seuls tous les autres.—Je te vois toujours, et sur ta lame, sur ta poignée, je vois des gouttes de sang qui n'y étaient pas tout à l'heure.—Il n'y a là rien de réel. C'est mon projet sanguinaire qui prend cette forme à mes yeux.—Maintenant sur la moitié du monde la nature semble morte, et des songes funestes abusent le sommeil enveloppé de rideaux. Maintenant les sorcières célèbrent leurs sacrifices à la pâle Hécate. Voici l'heure où le meurtre décharné, averti par sa sentinelle, le loup dont les hurlements lui servent de mot du guet, dérobant, comme Tarquin le ravisseur, ses pas allongés, s'avance semblable à un spectre vers l'exécution de ses desseins.—Ô toi, terre solide et ferme, garde-toi d'entendre mes pas, quelque chemin qu'ils prennent, de peur que tes pierres n'aillent se dire entre elles où je suis, et ravir à ce moment l'horrible occasion qui lui convient si bien.—Tandis que je menace, il vit.—Les paroles portent un souffle trop froid sur la chaleur de l'action. (*La cloche sonne.*)—J'y vais. C'en est fait, la cloche me sollicite. Ne l'entends pas, Duncan; c'est la cloche mortuaire qui t'appelle au ciel ou aux enfers.

(Il sort.)

SCÈNE II

Au même lieu.
LADY MACBETH entre

LADY MACBETH.

Ce qui les a enivrés m'a enhardie, ce qui les a éteints m'a remplie de flamme.—Écoutons; silence! C'est le cri du hibou, fatal sonneur qui donne le plus funeste bonsoir.—Il est à son ouvrage; les portes sont ouvertes, et les serviteurs, pleins de vin, se moquent en ronflant du devoir de leur office. J'ai composé leur boisson du soir de telle sorte que la Nature et la Mort débattent entre elles s'ils vivent ou meurent.

MACBETH, derrière le théâtre.

Qui est là? quoi? holà!

LADY MACBETH.

Hélas! je tremble qu'ils ne se soient éveillés et que la chose ne soit pas faite. Nous sommes perdus si la tentative n'est pas suivie de l'action. Écoutons.—J'avais apprêté leurs poignards, il ne pouvait manquer de les voir.—S'il n'eût pas ressemblé à mon père endormi, je m'en serais chargée.—Mon mari!

MACBETH.

J'ai frappé le coup.—N'as-tu pas entendu un bruit?

LADY MACBETH.

J'ai entendu crier la chouette et chanter le grillon.—N'avez-vous pas parlé?

MACBETH.

Quand?

LADY MACBETH.

Tout à l'heure.

MACBETH.

Comme je descendais?

LADY MACBETH.

Oui.

MACBETH.

Écoute.—Qui couche dans la seconde chambre?

LADY MACBETH.

Donalbain.

MACBETH regardant ses mains.

C'est là une triste vue!

LADY MACBETH.

Quelle folie d'appeler cela une triste vue!

MACBETH.

L'un des deux a ri dans son sommeil, et l'autre a crié *au meurtre*! Ils se sont éveillés l'un et l'autre: je me suis arrêté les écoutant; mais ils ont fait leurs prières et se sont remis à dormir.

LADY MACBETH.

Ils sont deux logés dans la même chambre.

MACBETH.

L'un s'est écrié: *Dieu nous assiste*! et l'autre: *amen*, comme s'ils m'avaient vu, avec ces mains de bourreau, écoutant ce qu'ils disaient; et je n'ai pu répondre *amen* lorsqu'ils disaient *Dieu nous assiste*!

LADY MACBETH.

N'allez pas creuser cette idée.

MACBETH.

Mais pourquoi n'ai-je pu prononcer *amen*? Je n'avais jamais eu autant de besoin d'une bénédiction, et *amen* s'est arrêté dans mon gosier.

LADY MACBETH.

Il ne faut pas se travailler ainsi l'esprit sur ces sortes d'actions; on en deviendrait fou.

MACBETH.

Il m'a semblé entendre une voix crier: «Plus de sommeil! Macbeth tue le sommeil, l'innocent sommeil, le sommeil qui remet en ordre l'écheveau confus de nos soucis; le sommeil, mort tranquille de la vie de chaque jour, bain accordé à l'âpre travail, baume de l'âme malade, loi tutélaire de la nature, l'aliment principal du tutélaire festin de la vie.»

LADY MACBETH.

Que voulez-vous dire?

MACBETH.

Elle criait toujours dans toute la maison: «Plus de sommeil! Glamis a tué le sommeil; ainsi Cawdor ne dormira plus, Macbeth ne dormira plus!»

LADY MACBETH.

Qui criait donc ainsi?—Quoi! digne thane, vous laissez votre noble courage se relâcher jusqu'à ces rêveries d'un cerveau malade? Allez, prenez de l'eau, et lavez votre main de cette tache qui témoigne contre vous.—Pourquoi avez-vous apporté ici ces poignards? Il faut qu'ils restent de l'autre côté. Allez, reportez-les, et teignez de sang les deux serviteurs endormis.

MACBETH.

Je n'y rentrerai pas; je suis effrayé en songeant a ce que j'ai fait. Le regarder de nouveau! non, je n'ose.

LADY MACBETH.

Que vous êtes faible dans vos résolutions!—Donnez-moi ces poignards. Ceux qui dorment, ceux qui sont morts, ressemblent à des figures peintes: il n'y a que l'œil de l'enfance qui s'effraye à la vue d'un diable en peinture. S'il a coulé du sang autour de lui, j'en rougirai la face des deux serviteurs, car il faut que le crime leur soit attribué.

(Elle sort.)

(On frappe derrière le théâtre.)

MACBETH.

Pourquoi frappe-t-on ainsi?—Que suis-je donc devenu, que le moindre bruit m'épouvante?—Quelles mains j'ai là! Elles me font sortir les yeux de la tête.—Prétendre que tout l'océan du grand Neptune puisse laver ce sang et nettoyer ma main! Non, en vérité, ma main ensanglanterait plutôt l'immensité des mers, et ferait de leur teinte verdâtre un seule teinte rouge.

(Rentre lady Macbeth.)

LADY MACBETH.

Mes mains sont de la couleur des vôtres; mais j'ai honte d'avoir conservé mon cœur si blanc.—J'entends frapper à la porte du sud.—Retirons-nous dans notre chambre: un peu d'eau va nous laver de cette action; voyez donc combien cela est aisé. Votre courage vous a abandonné en chemin. (*On frappe.*)—Écoutez: on frappe encore plus fort. Prenez votre robe de nuit, de crainte que nous n'ayons occasion de paraître et de laisser voir que nous étions éveillés. Ne restez donc pas ainsi misérablement perdu dans vos réflexions.

MACBETH.

Il me faut rester maintenant avec la connaissance de ce que j'ai fait!—Mieux vaudrait n'avoir plus la connaissance de moi-même. (*On frappe.*)—Éveille Duncan à force de frapper.—Plût au ciel vraiment que tu le pusses!

(Ils sortent.)

VIII

La nuit a été bien étrange, dit le portier du château d'Inverness.

LENOX.

La nuit a été bien étrange! Dans le lieu où nous couchions, les cheminées ont été abattues par le vent: l'on a, dit-on, entendu dans les airs les lamentations, d'horribles cris de mort, et des voix prédisant avec des accents terribles d'affreux bouleversements, des événements confus, nouvellement éclos du sein de ces temps désastreux. L'oiseau des ténèbres a poussé toute la nuit des cris aigus; quelques-uns prétendent que la terre, saisie de fièvre, a tremblé.

MACBETH.

Ç'a été une cruelle nuit!

LENOX.

Ma mémoire n'est pas assez ancienne pour m'en rappeler aucune qu'on puisse comparer à celle-là.

MACDUFF entre en s'écriant:

Ô horreur! horreur! horreur! il n'y a ni cœur ni langue qui puisse te concevoir ou t'exprimer.

MACBETH ET LENOX.

Qu'est-ce que c'est?

MACDUFF.

L'abomination a fait ici son chef-d'œuvre. Le meurtre le plus sacrilége a ouvert par force le temple sacré du Seigneur, et a dérobé la vie qui en animait la structure.

MACBETH.

Que dites-vous? la vie?

MACDUFF.

Meurtre! trahison! éveillez-vous! Malcolm, Banquo, éveillez-vous! secouez ce tranquille sommeil qui n'est que l'image de la mort; venez voir la mort elle-même! ô Banquo! Banquo, votre maître est assassiné! Emportez lady Macbeth.

Malcolm et Macbeth se réfugient en Angleterre. Ils s'évadent.

IX

Le troisième acte commence. Un crime en commande un autre; Banquo doit périr pour que le forfait de lady Macbeth soit utile.

MACBETH.

Je vous souhaite des chevaux légers et sûrs. Allez donc vous confier à leur dos. Adieu! (*Banquo sort.*) (*Aux courtisans.*) Que chacun dispose à son gré de son temps jusqu'à sept heures du soir. Pour trouver nous-même plus de plaisir au retour de la société, nous resterons seul jusqu'au souper: d'ici là, que Dieu soit avec vous!—(*Sortent lady Macbeth, les seigneurs*, *les dames*, etc.) Holà, un mot: ces hommes attendent-ils nos ordres?

UN DOMESTIQUE.

Oui, mon seigneur, ils sont à la porte du palais.

MACBETH.

Amenez-les devant nous.—Être où je suis n'est rien si l'on n'y est en sûreté.—Nos craintes se sont profondément fixées sur Banquo, et dans ce naturel empreint de souveraineté domine ce qu'il y a de plus à craindre. Ce qu'il sait oser va bien loin, et à cette disposition intrépide il joint une sagesse qui enseigne à sa valeur la route la plus sûre. Je ne vois que lui dont l'existence m'inspire de la crainte: il intimide mon génie, comme César, dit-on, celui de Marc-Antoine. Je l'ai vu gourmander les sœurs lorsqu'elles m'imposèrent le nom de roi; il leur commanda de lui parler; et alors, d'une bouche prophétique, elles le proclamèrent père d'une race de rois.—Elles n'ont placé sur ma tête qu'une couronne sans fruit et ne m'ont donné à saisir qu'un sceptre stérile que m'arrachera une main étrangère, sans qu'aucun fils sorti de moi me succède. S'il en est ainsi, c'est pour la race de Banquo que j'ai souillé mon âme; c'est pour ses enfants que j'ai assassiné cet excellent Duncan; pour eux seuls j'ai mêlé d'odieux souvenirs la coupe de mon repos, et j'aurai livré à l'ennemi du genre humain mon éternel trésor pour les faire rois! Les enfants de Banquo rois! Plutôt qu'il en soit ainsi, je t'attends dans l'arène, Destin; viens m'y combattre à outrance.—Qui va là? (*Rentre le domestique avec deux assassins.*) Retourne à la porte, et restes-y jusqu'à ce que nous t'appelions. (*Le domestique sort.*)—N'est-ce pas hier que nous avons eu ensemble un entretien?

PREMIER ASSASSIN.

C'était hier, avec la permission de votre grandeur.

MACBETH.

Eh bien, avez-vous réfléchi sur ce que je vous ai dit? Soyez sûrs que c'est lui qui autrefois vous a tenus dans l'abaissement, ce que vous m'avez attribué, à moi qui en étais innocent. Je vous en ai convaincus dans notre dernière entrevue; je vous ai fait voir jusqu'à l'évidence comment vous aviez été amusés, traversés, quels avaient été les instruments, qui les avait employés, et tant d'autres choses qui, n'eussiez-vous que la moitié d'une âme et une intelligence altérée, vous diraient: «Voilà ce qu'a fait Banquo.»

PREMIER ASSASSIN.

Vous nous l'avez fait connaître.

MACBETH.

Complétement: allons plus loin, c'est l'objet de notre seconde entrevue.— Sentez-vous en vous-mêmes la vertu de patience tellement dominante que vous laissiez passer toutes ces choses? Êtes-vous si pénétrés de l'Évangile que vous puissiez prier pour cet homme et ses enfants, lui dont la main vous a courbés vers la tombe et réduits pour toujours à la misère?

PREMIER ASSASSIN.

Nous sommes des hommes, mon seigneur.

MACBETH.

Oui, je sais que dans le catalogue on vous compte pour des hommes, de même que les chiens de chasse, les bassets, les métis, les épagneuls, barbets, loups, demi-loups y sont tous appelés du nom de chien. Ensuite, parmi ceux qui en valent la peine, on distingue l'agile, le tranquille, le fin, le chien de garde, le chasseur, chacun selon la qualité qu'a renfermée en lui la bienfaisante nature, et il en reçoit un titre particulier ajouté au nom commun sous lequel on les a tous inscrits. Il en est de même des hommes. Si vous méritez de tenir quelque rang parmi les hommes, et de n'être pas rejetés dans la dernière classe, dites-le-moi, et alors je verserai dans votre sein ce projet dont l'exécution vous délivre de votre ennemi, vous fixe dans notre cœur et notre affection; car nous ne pouvons avoir, tant qu'il vivra, qu'une santé languissante que sa mort rendra parfaite.

SECOND ASSASSIN.

Je suis un homme, mon seigneur, tellement indigné par les indignes traitements du monde, ses outrageants rebuts, que pour me venger du monde toute action me sera indifférente.

PREMIER ASSASSIN.

Et moi un homme si las de malheurs, si ballotté de la fortune, que je mettrais ma vie sur le premier hasard qui me promettrait de l'améliorer ou de m'en délivrer.

MACBETH.

Vous savez tous deux que Banquo était votre ennemi?

SECOND ASSASSIN.

Nous en sommes persuadés, mon seigneur.

MACBETH.

Il est aussi le mien, et notre inimitié est si sanglante, que chaque minute de son existence me frappe dans ce qui tient de plus près à la vie. Je pourrais, en faisant ouvertement usage de mon pouvoir, le balayer de ma vue sans en donner d'autre raison que ma volonté; mais je ne dois pas le faire, à cause de quelques-uns de mes amis qui sont aussi les siens, dont je ne dois pas négliger l'affection, et avec qui il me faudra déplorer la chute de l'homme que j'aurai renversé moi-même. Voilà ce qui me rend votre assistance précieuse: elle me donne les moyens de cacher cette action à l'œil du public, comme je le désire par un grand nombre de puissants motifs.

SECOND ASSASSIN.

Nous exécuterons, mon seigneur, ce que vous nous commanderez.

PREMIER ASSASSIN.

Oui, quand notre vie.....

MACBETH.

Votre courage perce dans votre maintien. Dans une heure au plus, je vous indiquerai le lieu où vous devez vous poster. Ayez le plus grand soin d'épier et de choisir le moment convenable, car il faut que cela soit fait ce soir, et à quelque distance du palais, et ne perdez pas de vue que j'en veux paraître entièrement innocent, et afin qu'il ne reste dans l'ouvrage ni accrocs ni défauts, qu'avec Banquo son fils Fleance qui l'accompagne, et dont l'absence n'est pas moins importante pour moi que celle de son père, subisse les destinées de cette heure de ténèbres. Consultez-vous ensemble, et prenez votre résolution. Je vous rejoins dans un moment.

LES ASSASSINS.

Elle est prise, seigneur.

MACBETH.

Je vous ferai rappeler dans un instant. Ne sortez pas de notre palais. (*Les assassins sortent.*) C'est une chose arrêtée.—Banquo, si c'est vers les cieux que ton âme doit prendre son vol, elle les verra ce soir.

(Il sort.)

SCÈNE II

Un autre appartement dans le palais.
Entrent LADY MACBETH et UN DOMESTIQUE.

LADY MACBETH.

Banquo est-il sorti du palais?

LE DOMESTIQUE.

Oui, madame; mais il revient ce soir.

LADY MACBETH.

Avertissez le roi que je voudrais, si cela est possible, lui dire quelques mots.

LE DOMESTIQUE.

J'y vais, madame.

(Il sort.)

LADY MACBETH.

On n'a rien gagné, et tout dépensé, quand on a obtenu son désir sans en être plus heureux: il vaut mieux être celui que nous détruisons, que de vivre par sa destruction dans des joies toujours inquiètes. (*Macbeth entre.*)—Qu'avez-vous, mon seigneur? pourquoi vous enfermer dans la solitude, ne cherchant pour compagnie que les images les plus funestes, toujours appliqué à des pensées qui, en vérité, devraient être mortes avec celui dont elles vous occupent? Les choses sans remède devraient être sans importance: ce qui est fait est fait.

MACBETH.

Nous avons tranché le serpent, mais nous ne l'avons pas tué; il réunira ses tronçons et redeviendra ce qu'il était, tandis que notre impuissante malice sera exposée aux dents dont il aura retrouvé la force. Mais que la structure de l'univers se décompose, que les deux mondes périssent avant que nous consentions ainsi à prendre notre repos dans la crainte, à passer le temps du sommeil dans l'affliction de ces terribles songes qui viennent nous bouleverser toutes les nuits! Il vaudrait mieux être avec le mort que, pour arriver où nous sommes, nous avons envoyé reposer en paix, que de demeurer ainsi, l'âme sur la roue, dans une angoisse sans relâche.—Duncan est dans son tombeau: sorti des redoublements de la fièvre de la vie, il dort bien; la trahison est à bout avec lui: ni le fer, ni le poison, ni les conspirations domestiques, ni les armées ennemies, rien ne peut plus l'atteindre.

LADY MACBETH.

Venez, mon cher époux, que le calme reparaisse dans vos regards troublés: soyez brillant et joyeux ce soir au milieu de vos convives.

MACBETH.

Je le serai, mon amour; et soyez de même aussi, je vous y exhorte: que votre continuelle attention s'occupe de Banquo; indiquez sa prééminence par vos regards et vos paroles.—Nous ne serons jamais en sûreté tant qu'il nous faudra sans cesse nous laver de notre grandeur dans ce cours de flatteries, et faire de nos visages le masque qui doit servir à déguiser nos cœurs.

LADY MACBETH.

Ne pensez plus à cela.

MACBETH.

Ô chère épouse, mon esprit est rempli de scorpions. Tu sais que Banquo et son fils Fleance respirent?

LADY MACBETH.

Mais la copie de nature qui leur a été remise n'est pas éternelle.

MACBETH.

Il y a même de plus cette consolation qu'ils ne sont pas inattaquables. Ainsi, tiens-toi joyeuse. Avant que la chauve-souris ait cessé son vol circulaire, avant qu'aux appels de la noire Hécate l'escarbot cuirassé ait sonné, par son murmure assoupissant, le bourdon qui appelle les bâillements de la nuit, on aura consommé une action importante et terrible.

LADY MACBETH.

Que doit-on faire?

MACBETH.

Demeure innocente de la connaissance du projet, ma chère poule, jusqu'à ce que tu applaudisses à l'action.—Viens, ô nuit, apportant ton bandeau: couvre l'œil sensible du jour compatissant, et de ta main invisible et sanguinaire arrache et mets en pièces le lien puissant qui fixe la pâleur sur mon front.—La lumière s'obscurcit, et déjà le corbeau dirige son vol vers la forêt qu'il habite. Les honnêtes habitués du jour commencent à languir et à s'assoupir, tandis que les noirs agents de la nuit se lèvent pour saisir leur proie.—Tu es étonnée de mes discours; mais sois tranquille: les choses que le mal a commencées se consolident par le mal. C'en est assez; je te prie, viens avec moi.

(Ils sortent.)

SCÈNE III

Toujours à Fores.—Un parc ou une prairie donnant sur une des portes du palais.

Entrent trois ASSASSINS.

PREMIER ASSASSIN.

Mais qui t'a dit de venir te joindre à nous?

TROISIÈME ASSASSIN.

Macbeth.

SECOND ASSASSIN.

Il ne doit pas nous donner de méfiance, puisque nous le voyons parfaitement instruit de notre commission et de ce que nous avons à faire.

PREMIER ASSASSIN.

Reste donc avec nous.—Le couchant luit encore de quelques traits du jour: c'est le moment où le voyageur attardé pique avec ardeur pour gagner l'auberge située à la fin de sa journée; et celui que nous attendons ici en approche de bien près.

TROISIÈME ASSASSIN.

Écoutez; j'entends des chevaux.

BANQUO derrière le théâtre.

Donnez-nous de la lumière, holà!

SECOND ASSASSIN.

C'est sûrement lui. Tous ceux qui sont sur la liste des personnes attendues sont déjà rendus à la cour.

PREMIER ASSASSIN.

On emmène ces chevaux.

TROISIÈME ASSASSIN.

À près d'un mille d'ici; mais il a coutume, et tous en font autant, d'aller d'ici au palais en se promenant.

(Entrent Banquo et Fleance; un domestique marche devant eux avec un flambeau.)

SECOND ASSASSIN.

Un flambeau! un flambeau!

TROISIÈME ASSASSIN.

C'est lui.

PREMIER ASSASSIN.

Tenons-nous prêts.

BANQUO.

Il tombera de la pluie cette nuit.

PREMIER ASSASSIN.

Qu'elle tombe!

(Il attaque Banquo.)

BANQUO.

Ô trahison!—Fuis, cher Fleance, fuis, fuis, fuis; tu pourras me venger.—Ô scélérat!

(Il meurt. Fleance et le domestique se sauvent.)

TROISIÈME ASSASSIN.

Qui a donc éteint le flambeau?

PREMIER ASSASSIN.

N'était-ce pas le parti le plus sûr?

TROISIÈME ASSASSIN.

Il n'y en a qu'un de tombé: le fils s'est sauvé.

SECOND ASSASSIN.

Nous avons manqué la plus belle moitié de notre coup.

PREMIER ASSASSIN.

Allons toujours dire ce qu'il y a de fait.

(Ils sortent.)

SCÈNE IV

Un appartement d'apparat dans le palais.—Le banquet est préparé.

Entrent MACBETH, LADY MACBETH, ROSSE, LENOX et autres SEIGNEURS; suite.

MACBETH.

Vous connaissez chacun votre rang, prenez vos places. Depuis le premier jusqu'au dernier, je vous souhaite à tous une sincère bienvenue.

LES SEIGNEURS.

Nous rendons grâces à votre majesté.

MACBETH.

Pour nous, comme un hôte modeste, nous nous mêlerons parmi les convives. Notre hôtesse garde sa place d'honneur; mais dans un moment favorable nous lui demanderons sa bienvenue.

(Les courtisans et les seigneurs se placent, et laissent un siége au milieu pour Macbeth.)

LADY MACBETH.

Acquittez-m'en, seigneur, envers tous nos amis; car mon cœur leur dit qu'ils sont tous les bienvenus.

(Entre le premier assassin; il se tient à la porte.)

MACBETH.

Vois, ils te rendent tous des remerciements du fond de leur cœur.—Le nombre des convives est égal des deux côtés. Je m'assiérai ici au milieu.—Que la joie s'épanouisse. Tout à l'heure nous boirons une rasade à la ronde. (*À l'assassin.*) Il y a du sang sur ton visage.

L'ASSASSIN.

C'est donc du sang de Banquo.

MACBETH.

J'aurai plus de plaisir à te voir hors de cette salle que lui dedans. Est-il expédié?

L'ASSASSIN.

Seigneur, il a la gorge coupée; c'est moi qui lui ai rendu ce service.

MACBETH.

Tu es le premier des hommes pour couper la gorge; mais il a son mérite aussi celui qui en a fait autant à Fleance. Si c'était toi, tu n'aurais pas ton pareil.

L'ASSASSIN.

Mon royal seigneur, Fleance a échappé.

MACBETH.

Voilà mon accès qui me reprend. Sans cela tout était parfait: j'étais entier comme le marbre, établi comme le roc, au large et libre de me répandre comme l'air qui m'environne; mais maintenant je suis comprimé, resserré et emprisonné.

X

Entrent les assassins de Banquo. Pendant que Macbeth traite ses amis dans la salle du festin, il apprend que Fleance son fils a échappé à l'assassinat. Son remords le reprend sous la forme de l'inquiétude. Lady Macbeth s'en aperçoit et révèle aux convives une prétendue maladie de son mari; lui-même l'avoue pour s'excuser, puis il retombe dans ses transes nerveuses. Lady Macbeth le rassure et tâche de donner le change à ses convives.

Quelles balivernes! C'est une vision créée par votre peur, comme ce poignard dans l'air qui, m'avez-vous dit, guidait vos pas vers Duncan. Oh! ces tressaillements, ces soubresauts, symptômes qui ne devraient accompagner qu'une crainte fondée, feraient à merveille dans le récit d'une histoire qu'une femme raconte au coin du feu, d'après l'autorité de sa grand'mère.—C'est une vraie honte! Pourquoi faire cette figure? Tout est fini, et vous êtes là à regarder une chaise!

MACBETH.

Je te prie, regarde de ce côté; vois là, vois. Que me dites-vous? vous demandez de quoi je m'inquiète?—Puisque tu peux remuer la tête, tu peux aussi parler. Si les cimetières et les tombeaux doivent nous renvoyer ceux que nous ensevelissons, nos monuments seront donc semblables au gésier des milans?

(L'ombre disparaît.)

LADY MACBETH.

Quoi! la folie s'est-elle emparée de tous vos sens?

MACBETH.

Comme je suis ici, je l'ai vu.

LADY MACBETH.

Fi! quelle honte!

MACBETH.

Ce n'est pas la première fois qu'on a répandu le sang. Dans les anciens temps, avant que des lois humaines eussent purgé de crimes les sociétés adoucies, oui vraiment, et même depuis, il s'est commis des meurtres trop terribles pour que l'oreille en supporte le récit; et l'on a vu des temps où, lorsqu'un homme avait la cervelle enlevée, il mourait, et tout finissait là. Mais aujourd'hui ils se relèvent avec vingt blessures sur le crâne, et viennent nous chasser de nos siéges: cela est plus étrange que ne le peut être un pareil meurtre.

LADY MACBETH.

Mon digne seigneur, vos nobles amis vous attendent.

MACBETH.

Ah! j'oubliais... Ne prenez pas garde à moi, mes dignes amis. J'ai une étrange infirmité qui n'est rien pour ceux qui me connaissent. Allons, amitié et santé à tous! Je vais m'asseoir: donnez-moi du vin; remplissez jusqu'au bord. Je bois aux plaisirs de toute la table, et à notre cher ami Banquo, qui nous manque ici. Que je voudrais qu'il y fût! (*L'ombre sort de terre.*) Nous buvons avec empressement à vous tous, à lui. Tout à tous!

LES SEIGNEURS.

Nous vous présentons nos hommages et faisons raison.

MACBETH.

Loin de moi! ôte-toi de mes yeux! que la terre te cache! Tes os sont desséchés, ton sang est glacé; rien ne se reflète dans ces yeux que tu ouvres ainsi.

LADY MACBETH.

Ne voyez là dedans, mes bons seigneurs, qu'une chose qui lui est ordinaire, rien de plus: seulement elle gâte tout le plaisir de ce moment.

MACBETH.

Tout ce qu'un homme peut oser, je l'ose. Viens sous la forme de l'ours féroce de la Russie, du rhinocéros armé, ou du tigre d'Hyrcanie, sous quelque forme que tu choisisses, excepté celle-ci, et la fermeté de mes nerfs ne sera pas un instant ébranlée; ou bien reviens à la vie, défie-moi au désert avec ton épée: si alors je demeure tremblant, déclare-moi une petite fille au maillot.—Loin d'ici, fantôme horrible, insultant mensonge! loin d'ici! (*L'ombre disparaît.*) À la bonne heure.—Dès qu'il disparaît, je redeviens un homme. De grâce, restez à vos places.

LADY MACBETH.

Vous avez fait fuir la gaieté, détruit tout le plaisir de cette réunion par un désordre qui a excité le plus grand étonnement.

MACBETH.

De telles choses peuvent-elles arriver et nous surprendre, sans exciter en nous plus d'étonnement que ne le ferait un nuage d'été?—Vous me mettez de nouveau hors de moi-même, lorsque je songe maintenant que vous pouvez contempler de pareils objets et conserver le même incarnat sur vos joues, tandis que les miennes sont blanches de frayeur.

ROSSE.

Quels objets, seigneur?

LADY MACBETH.

Je vous prie, ne lui parlez pas; son mal ne fait qu'empirer: les questions le mettent en fureur. Je vous souhaite le bonsoir à tous à la fois. Ne vous arrêtez pas à conserver l'ordre des rangs; sortez tous ensemble.

LENOX.

Nous souhaitons à votre majesté une meilleure nuit et une meilleure santé.

LADY MACBETH.

Bonne et heureuse nuit à tous.

(Sortent les Seigneurs et leur suite.)

MACBETH.

Il y aura du sang: ils disent que le sang veut du sang. On a vu les pierres se mouvoir et les arbres parler. Par le moyen des devins, par l'intelligence que nous avons de certains rapports, les pies, les hiboux, les corbeaux ont souvent mis en lumière l'homme de sang le mieux caché.—Quelle heure est-il de la nuit?

LADY MACBETH.

À ne savoir qui l'emporte d'elle ou du matin.

MACBETH.

Que dites-vous de Macduff, qui refuse de se rendre en personne à nos ordres souverains?

LADY MACBETH.

Avez-vous envoyé vers lui, mon seigneur?

MACBETH.

Non, je l'ai su indirectement: mais j'enverrai. Il n'y a pas un d'eux dans la maison de qui je ne tienne un homme à mes gages. J'irai trouver demain, et de bonne heure, les sœurs du Destin: il faudra qu'elles parlent encore; car à présent je me précipiterai par les pires moyens dans la connaissance de ce qu'il y a de pire; je ferai céder à mon avantage tous les autres motifs. Me voilà avancé si loin dans le sang, que si je m'arrêtais à présent, retourner en arrière serait aussi fatigant que d'aller en avant. J'ai dans la tête d'étranges choses qui passeront dans mes mains, des choses qu'il faut exécuter avant d'avoir le temps de les examiner.

LADY MACBETH.

Vous avez besoin de ce qui ranime toutes les créatures, du sommeil.

MACBETH.

Oui, allons dormir. L'étrange erreur où je me suis laissé entraîner est l'effet d'une crainte novice et qu'il faut mener un peu rudement. Nous sommes jeunes dans l'action.

XI

Ces sœurs du Destin causent entre elles en faisant leurs enchantements. Ceci est évidemment pour la populace et n'ajoute rien à l'horreur de la tragédie. Macbeth les interroge:

Je vous conjure par l'art que vous professez, répondez-moi, dussent les vents par vous déchaînés livrer l'assaut aux églises! dussent les vagues échevelées bouleverser et engloutir les navires! dût le blé chargé d'épis coucher abattu sur la terre! les arbres être renversés! dussent les châteaux s'écrouler sur la tête de leurs gardiens! dût le faîte des palais et des pyramides s'incliner vers leurs fondements! dût le trésor des germes de la nature rouler confondu jusqu'à rendre la destruction lasse d'elle-même! répondez à mes questions.

PREMIÈRE SORCIÈRE.

Parle.

DEUXIÈME SORCIÈRE.

Demande.

TROISIÈME SORCIÈRE.

Nous répondrons.

PREMIÈRE SORCIÈRE.

Dis, aimes-tu mieux recevoir la réponse de notre bouche ou de celle de nos maîtres?

MACBETH.

Appelez-les, que je les voie.

PREMIÈRE SORCIÈRE.

Versons du sang d'une truie qui ait dévoré ses neuf marcassins, et de la graisse exprimée du gibet d'un meurtrier; et jetons-les dans la flamme.

LES TROIS SORCIÈRES ENSEMBLE.

Viens, haut ou bas; montre-toi, et fais ton devoir comme il convient.

(Tonnerre.—On voit s'élever le fantôme d'une tête armée d'un casque.)

MACBETH.

Dis-moi, puissance inconnue...

PREMIÈRE SORCIÈRE.

Il connaît ta pensée; écoute ses paroles, mais ne dis rien.

LE FANTÔME.

Macbeth! Macbeth! Macbeth! garde-toi de Macduff; garde-toi du thane de Fife.—Laissez-moi partir.—C'est assez.

(Le fantôme s'enfonce sous la terre.)

MACBETH.

Qui que tu sois, je te rends grâce de ton bon avis. Tu as touché la corde de ma crainte. Mais un mot encore.

PREMIÈRE SORCIÈRE.

Il ne souffre pas qu'on lui commande. En voici un autre plus puissant que le premier.

(Tonnerre.—On voit s'élever le fantôme d'un enfant ensanglanté.)

LE FANTÔME.

Macbeth! Macbeth! Macbeth!

MACBETH.

Je t'écouterais de trois oreilles si je les avais.

LE FANTÔME.

Sois sanguinaire, intrépide et décidé. Ris-toi jusqu'à l'insulte du pouvoir de l'homme. Nul homme né d'une femme ne peut nuire à Macbeth.

(Le fantôme s'enfonce sous la terre.)

MACBETH.

Vis donc, Macduff; qu'ai-je besoin de te redouter? Cependant je veux rendre ma tranquillité doublement tranquille, et prendre mes sûretés avec le destin. Il faut que tu meures, afin que je puisse dire à la peur au pâle courage qu'elle en a menti, et dormir en paix en dépit du tonnerre. (*Tonnerre.—On voit s'élever le fantôme d'un enfant couronné, ayant un arbre dans sa main.*) Quel est celui qui s'élève semblable au fils d'un roi, et qui porte sur le front d'un petit enfant la couronne fermée d'un prince souverain?

LES TROIS SORCIÈRES ENSEMBLE.

Écoute, mais ne parle pas.

LE FANTÔME.

Sois de la nature du lion, orgueilleux comme lui: ne t'embarrasse pas de ceux qui s'irritent, s'emportent et conspirent contre toi. Jamais Macbeth ne sera vaincu, jusqu'à ce que la grande forêt de Birnam marche contre lui vers la haute colline de Dunsinane.

(Le fantôme rentre dans la terre.)

MACBETH.

Cela n'arrivera jamais. Qui peut faire mouvoir la forêt, commander à l'arbre de mettre en mouvement sa racine attachée à la terre? Ô douces prédictions! ô bonheur! Rébellion, ne lève point la tête jusqu'à ce que je voie se lever la forêt de Birnam; et Macbeth, au faîte de la grandeur vivra tout le bail de la nature, et son dernier soupir sera le tribut payé à la vieillesse et à la loi de mort.—Cependant mon cœur palpite encore du désir de savoir une chose: dites-moi (si votre art va jusqu'à me l'apprendre), la race de Banquo régnera-t-elle un jour dans ce royaume?

TOUTES LES SORCIÈRES ENSEMBLE.

Ne cherche point à en savoir davantage.

MACBETH.

Je veux être satisfait. Si vous me le refusez, qu'une malédiction éternelle tombe sur vous!—Faites-moi connaître ce qui en est.—Pourquoi cette chaudière qui se renverse? Quel est ce bruit?

(Hautbois.)

PREMIÈRE SORCIÈRE.

Paraissez.

DEUXIÈME SORCIÈRE.

Paraissez.

TROISIÈME SORCIÈRE.

Paraissez.

LES TROIS SORCIÈRES ENSEMBLE.

Paraissez à ses yeux et affligez son cœur.—Venez comme des ombres, et éloignez-vous de même.

(Huit rois paraissent marchant à la file l'un de l'autre, le dernier tenant un miroir dans sa main. Banquo les suit.)

MACBETH.

Tu ressembles trop à l'ombre de Banquo; à bas! ta couronne brûle mes yeux dans leur orbite.—Et toi, dont le front est également ceint d'un cercle d'or, tes cheveux sont pareils à ceux du premier.—Un troisième ressemble à celui qui le précède. Sorcières impures, pourquoi me montrez-vous ces objets?—Un quatrième! Fuyez, mes yeux.—Quoi! cette ligne se prolongera-t-elle jusqu'à ce que le monde se brise au dernier jour?—Encore un autre!—Un septième! Je n'en veux pas voir davantage.—Et cependant en voilà un huitième qui paraît, portant un miroir où j'en découvre une foule d'autres: j'en vois quelques-uns qui portent deux globes et un triple sceptre. Effroyable vue! Oui, je le reconnais à présent; rien n'est plus certain, car voilà Banquo, tout souillé du sang de ses plaies, qui me sourit et me les montre comme siens.—Quoi! serait-il donc vrai?

PREMIÈRE SORCIÈRE.

Oui, seigneur, de toute vérité.—Mais pourquoi Macbeth reste-t-il ainsi saisi de stupeur? Venez, mes sœurs, égayons ses esprits, et faisons-lui connaître nos plus doux plaisirs. Je vais charmer l'air pour en faire sortir des sons, tandis que vous exécuterez votre antique ronde; il faut que ce grand roi puisse, dans sa bonté, reconnaître que nous l'avons reçu avec les hommages qui lui sont dus.

(Musique.—Les sorcières dansent et disparaissent.)

MACBETH.

Où sont-elles? parties!—Que cette heure funeste soit maudite dans le calendrier!—Venez, vous qui êtes là dehors.

(Entre Lenox.)

LENOX.

Que désire votre grâce?

MACBETH.

Avez-vous vu les sœurs du Destin?

LENOX.

Non, mon seigneur.

MACBETH.

N'ont-elles pas passé près de vous?

LENOX.

Non, en vérité, mon seigneur.

MACBETH.

Infecté soit l'air qu'elles traverseront, et damnation sur tous ceux qui croiront en elles!—J'ai entendu galoper des chevaux: qui donc est arrivé?

LENOX.

Deux ou trois personnes, seigneur, apportent la nouvelle que Macduff s'est sauvé en Angleterre.

MACBETH.

Il s'est sauvé en Angleterre?

LENOX.

Oui, mon bon seigneur.

MACBETH.

Ô temps! tu devances mes œuvres redoutées. Le projet trop lent laisse tout échapper si l'action ne marche pas avec lui. Désormais, les premiers mouvements de mon cœur seront aussi les premiers mouvements de ma main; dès à présent, pour couronner mes pensées par les actes, il faut, par une exécution aussi prompte que ma volonté, surprendre le château de Macduff, m'emparer de Fife, passer au fil de l'épée sa femme, ses petits enfants, et tout ce qui a le malheur d'être de sa race. Il n'est pas question de se vanter comme un insensé; je vais accomplir cette entreprise avant que le projet se refroidisse. Mais, plus de visions!.... (*À Lenox.*) Où sont ces gentilshommes? Viens, conduis-moi vers eux.

(Ils sortent.)

XII

Remarquez comme l'ambition devient frénésie et comme le fourbe devient scélérat à mesure qu'il boit plus de sang.

Maintenant il a ordonné à ses seïdes d'aller tuer Macduff et ses enfants pour se délivrer d'un compétiteur au trône.

On les voit à l'œuvre au château de Macduff.

Pourquoi mon mari est-il parti? dit lady Macduff à sa cousine; le pauvre Roitelet, le moindre des oiseaux, dispute donc son nid, ses petits au hibou.—

Mon enfant, dit la mère à son enfant comme par pressentiment, votre père est mort, comment vivrez-vous? L'enfant répond par les vers de Racine: Comme vivent les oiseaux, ma mère. Pauvre petit oiseau, répond la mère, ainsi tu ne craindras pas le filet, la glu, le piége, le trébuchet?—Pourquoi les craindrais-je? répond l'enfant; ils ne sont pas destinés aux tout petits enfants.

Arrive un messager qui avertit lady Macduff qu'on la poursuit, ainsi que ses petits enfants, pour les égorger. Les assassins entrent et tuent son fils sous ses yeux.

Il m'a tué, ma mère!...

XIII

Macduff apprend presque aussitôt la mort de ses enfants.

ROSSE.

Hélas! pauvre patrie! elle n'ose presque plus se reconnaître. On ne peut l'appeler notre mère, mais notre tombeau, cette patrie où rien que ce qui est privé d'intelligence n'a été vu sourire une seule fois; où l'air est percé de soupirs, de gémissements, de cris douloureux qu'on ne remarque plus; où la violence de la douleur est prise pour une des prétentions de notre temps à la sensibilité; où la cloche mortuaire sonne sans qu'à peine on demande pour qui; où la vie des hommes de bien s'évapore avant que soit séchée la fleur qu'ils portent sur leur chapeau, ou même avant qu'elle commence à se flétrir.

MACDUFF.

Ô récit trop cruel dans son exactitude, mais trop vrai!

MALCOLM.

Quel est le malheur le plus nouveau?

ROSSE.

Le malheur qui date d'une heure fait siffler celui qui le raconte: chaque minute en enfante un nouveau.

MACDUFF.

Comment se porte ma femme?

ROSSE.

Mais, bien.

MACDUFF.

Et tous mes enfants?

ROSSE.

Bien aussi.

MACDUFF.

Et le tyran n'a pas attenté à leur paix?

. . . .

. . . .

MACDUFF.

Et faut-il que je n'y sois pas! Ma femme tuée aussi!

ROSSE.

Je vous l'ai dit.

MALCOLM.

Prenez courage: cherchons dans une grande vengeance des remèdes propres à guérir cette mortelle douleur.

MACDUFF.

Il n'a point d'enfants!—Tous mes jolis enfants, avez-vous dit? tous? Oh! rejetons d'enfer! Tous! quoi! tous mes pauvres petits poulets et leur mère, tous enlevés d'un seul horrible coup!

MALCOLM.

Luttez en homme contre le malheur.

MACDUFF.

Je le ferai; mais il faut bien aussi que je le sente en homme; il faut bien que je me rappelle qu'il a existé un jour dans le monde des êtres qui étaient pour moi ce qu'il y a de plus précieux. Quoi! le ciel l'a vu et n'a pas pris leur défense! Coupable Macduff! ils ont tous été frappés pour toi. Misérable que je suis! ce n'est pas pour leurs fautes, mais pour les miennes, que le meurtre a fondu sur eux. Que le ciel maintenant leur donne la paix!

MALCOLM.

Que ce soit une pierre à aiguiser votre épée! que votre douleur se change en colère, qu'elle n'affaiblisse pas votre cœur, qu'elle l'enrage!

XIV

Il se sauve en Angleterre avec Malcolm, fils du roi Duncan.

Le cinquième acte les montre rentrant en Écosse avec des forces nombreuses. Macbeth se moque d'eux du haut de ses remparts inexpugnables. Sa femme lady Macbeth expire de remords et de terreur. Un de ses courtisans entre et lui dit: Monseigneur la reine est morte.

MACBETH.

Elle aurait dû mourir plus tard: il serait arrivé un moment auquel aurait convenu une semblable parole. Demain, demain, demain se glisse ainsi à petits pas d'un jour sur un autre, jusqu'à la dernière syllabe du temps qui nous est écrit; et tous nos hiers n'ont travaillé, les imbéciles, qu'à nous abréger le chemin de la mort poudreuse. Finis, finis, court flambeau: la vie n'est qu'une ombre ambulante; elle ressemble à un comédien qui se pavane et s'agite sur le théâtre tant que dure son heure; après quoi il n'en est plus question; c'est un conte raconté par un niais avec beaucoup de bruit et de chaleur, et qui ne signifie rien. (*Entre un messager.*)—Tu viens pour faire usage de ta langue: vite, ton histoire en peu de mots.

XV

Un autre courtisan lui annonce qu'on voit la forêt de Dunsinane s'avancer vers la forêt de Birnam. Ce sont des soldats anglais qui ont coupé les rameaux des arbres et qui marchent couverts de leur feuillage du côté du fort.

Macbeth reconnaît la mort. À ce présage, son désespoir n'atteint pas son énergie, il meurt en combattant avec intrépidité; on sent dans ses dernières paroles, comme dans celles de Saül dans la Bible, l'âpre accent qui défie le ciel.

Tel est Macbeth dans son ensemble.

Dans ses détails, il est aussi complet et aussi pathétique.

C'est la plus magnifique analyse de l'ambition qui ait jamais été tracée par un génie humain.

On voit comment le crime se présente d'abord comme une tentation vague et facile à écarter.

Comment l'amour d'une femme vaine et perverse l'échauffe, l'embrase et y participe du cœur et de la main, en le facilitant et en l'accomplissant à demi elle-même.

Comment, une fois accompli, on en veut enfin le prix, et comment pour cueillir la paix et pour étouffer le remords, il mène à tous les crimes, puis à la mort.

La peinture de ce remords rendu visible par la tache indélébile de sang sur la main de l'assassin, que toutes les vagues de l'Océan ne peuvent faire disparaître, est une image digne de Job.

La mort de lady Macbeth et la féroce intrépidité de son époux en lutte désespérée contre le destin, mais sans fléchir, même en succombant, relèvent tout, même le crime; on déteste, mais on admire. C'est l'horreur qui fait pitié, c'est le chef-d'œuvre du tragique. C'est Macbeth, la plus belle des tragédies. Lisez, relisez, et ne fermez le livre que pour vous en souvenir éternellement.

XVI

Comparez maintenant Molière à Shakespeare! Mais non, ne comparez rien, jouissez de tout. Il n'y a rien de commun entre les deux talents, pas plus qu'entre les deux peuples. Ce sont deux *saisons* qui ne se ressemblent pas et qu'il faut également admirer. Molière, qui ne ressemble à rien dans l'antiquité comique, rend en vers plaisants et merveilleux les plus facétieux détails des caractères humains; il n'a point d'égal, comme il n'eut point de modèle. Le comique est son nom, on ne l'effacera jamais.

Shakespeare plonge dans l'abîme des fortes passions humaines avec quelque sauvagerie sans doute, mais avec un élan, une profondeur, une largeur qui n'ont de comparaison dans aucune langue. Ne comparons donc pas ces deux grands esprits, l'un de l'abîme, l'autre des régions tempérées. Mais déclarons notre insuffisance en ne tentant pas de les rapprocher: l'un est au-dessus du goût, l'autre est au-dessus du sublime. Ineffables tous deux!

XVII

Hugo, dans une œuvre d'un style égyptien mais souvent taillé en blocs comme les pyramides, a analysé Shakespeare; il est difficile de mesurer et plus difficile de porter ces blocs; ils sont jetés avec profusion et souvent sans symétrie et sans choix les uns sur les autres, mais il y en a beaucoup qui révèlent la pensée et la force d'un cyclope du style.

Aimé Martin, le plus doux des hommes, a commenté Molière: *trahit sua quemque coluptas*. Il a écrit avec l'atticisme d'un écrivain du siècle de Louis XIV. C'était l'homme qu'il fallait pour comprendre et pour analyser cette charmante nature du poëte cultivé sous un grand roi biblique, devant un grand peuple poli comme son époque de génie renaissant et d'imitation classique; leur mérite est divers, mais leur entreprise est également recommandable. D'ailleurs, j'aime trop le commentateur de Molière pour être juste; je suis surtout ami! pardonnez aux faiblesses de l'amitié!

XVIII

Quand il eut fini *son Molière* et son *Bernardin de Saint-Pierre*, Aimé Martin quitta le secrétariat de la Chambre et se retira, jeune encore, dans les lettres. Il y vécut de ses travaux passés et persévérants avec sa charmante épouse, sœur de Virginie; lui-même, digne frère de Paul. C'est alors que la conformité du goût et du talent nous unit plus intimement, que j'allai plus souvent m'asseoir à leur vie de famille, et qu'ils vinrent eux-mêmes habiter plus fréquemment ces deux asiles de Saint-Point et Monceaux que la suite des événements politiques me laissait encore libres pour moi et pour mes amis.

Cette amitié, devenue entre nous presque une parenté, me fut douce et chère. Elle subsista sans vicissitude et sans langueur jusqu'à la veille de sa mort. Il y avait un adoucissement dans ses souffrances quand j'allai l'embrasser au moment de mon départ pour la Bourgogne. J'appris quelques jours après que j'avais été, comme sa femme, trompé sur son état et que sa belle âme était remontée à Dieu inopinément, en me laissant comme monument de tendresse, et en encourageant sa veuve à me laisser, après lui, la meilleure partie de son héritage. Ils n'avaient point d'enfants et ils m'adoptaient ainsi tous deux en quittant la terre! Jamais portion de fortune ne fut plus sacrée; elle est encore confondue dans le peu qui me reste, et forme à Saint-Point le complément du victuaire de couvent annexé au château pour l'éducation rurale d'une cinquantaine de jeunes filles des champs.

XIX

Sa chère et charmante femme ne lui survécut pas longtemps. Elle mourut retirée à Saint-Germain, fidèle à son attachement pour lui et à son amitié pour moi. Que Dieu les bénisse et me permette de les retrouver dans l'immortelle réunion promise à ceux qui s'aiment ici bas! La bonté est le génie de l'amitié.

Ô bons et tendres amis, vous dont l'affection si délicieuse, pendant que vous viviez, me donna tant de douceurs ici-bas et qui voulûtes vous survivre encore après la séparation comme une immortelle providence du haut du ciel, il ne se passe pas de jour depuis qui ne soit adouci, ou attendri, ou consolé dans ce monde de larmes par votre vivante mémoire. Les vicissitudes éclatantes du temps où vous m'avez laissé poursuivre ma route ici-bas m'ont éprouvé, dénudé, accablé. Je vis par grâce, et sans savoir si le morceau de pain amer que je mange ne m'étouffera pas d'angoisses; j'ai eu tort, mais je n'en suis que plus infortuné.

Un jour est venu inopinément pour moi où tout l'établissement politique de notre pays s'est évanoui et où, surpris à l'improviste par ce vaste écroulement, j'ai été appelé par mon nom à décider le sort de notre patrie et peut-être de l'Europe. J'ai prononcé le nom de république, appel suprême à l'intérêt et à la raison de tous. Ce mot était tellement sur toutes les lèvres qu'il est sorti à la fois et à l'unanimité du fond du pays; de cette heure, il n'y a pas eu un moment de repos pour moi; comme le bouc expiatoire d'Israël, j'ai été rejeté hors des murs et déclaré coupable du salut commun. Dieu seul connaît ce que j'ai souffert et ce que je suis destiné à souffrir encore en disputant, par un travail forcé, l'ombre de la dernière tuile de mon toit à l'inimitié du monde. Que vous êtes heureux, vous, d'avoir échappé par la mort à ce drame lugubre de votre ami! Si nous étions au temps de Caton d'Utique, j'y aurais depuis longtemps échappé par la même voie moi-même; mais nous vivons sous une loi plus patiente et qui nous commande d'attendre avec résignation la justice des hommes et le pardon de Dieu!

Vous qui vivez maintenant plus près de lui, aimez encore votre ami d'exil et priez pour lui.

LAMARTINE.

FIN DE L'ENTRETIEN CLI.

Paris.—Typ. de Rouge frères, Dunon et Fresné, rue du Four-St-Germain, 43.

CLII[e] ENTRETIEN
MADAME DE STAËL

I

On agite sans cesse, sans la résoudre jamais, cette question en effet insoluble: *Convient-il aux femmes d'écrire et d'aspirer à la gloire des lettres?* S'il s'agissait de résoudre cette question d'une manière absolue, nous aimerions presque autant dire: *Convient-il à la nature de donner du génie aux femmes?*

Mais, s'il s'agit de la résoudre d'une manière relative et au point de vue de la société et de la famille, où la femme occupe une place si distincte de celle que la nature, la société, la famille, assignent à l'homme, la question prend un autre aspect, et nous présenterons à notre tour quelques considérations préliminaires à ceux qui cherchent à cet égard la convenance ou la vérité.

II

La nature, la société, la famille sont d'accord pour assigner aux deux sexes des rôles différents dans la vie civile. Le rôle public appartient essentiellement à l'homme; le rôle domestique, à la femme. L'action extérieure, la guerre, le gouvernement, la magistrature, le sacerdoce, la tribune, la chaire, la délibération, la parole, tout ce qui exige la publicité, la force, la lutte, la virilité, est masculin. Le foyer intérieur, l'allaitement de l'enfant, son éducation première, le soin des vieillards, la surveillance des serviteurs, l'assistance aux malades, l'aumône aux indigents, tout ce qui suppose la maternité, la pudeur, la grâce, la pitié, l'amour sous toutes ses formes et dans tous ses offices, est féminin. Ce n'est ni le hasard ni la tyrannie du sexe fort qui ont distribué ainsi les fonctions entre les deux sexes, c'est la nature. La société et la législation n'ont fait que suivre ses indications. La femme doit être chaste, par conséquent elle doit vivre à l'ombre; la femme doit inspirer l'amour à un seul, le respect, la tendresse, la pitié à tous; elle doit s'abstenir dans son intérêt même de tout ce qui sent le combat; l'altercation, la polémique, la haine, la colère, l'émulation envieuse, l'ambition implacable qui irritent la voix, endurcissent le cœur, défigurent les traits.

Les armes lui sont interdites comme aux prêtres, elle ne doit ni frapper ni verser le sang. Qui pourrait aimer une femme juge, soldat ou bourreau?

La femme doit porter neuf mois son fruit dans son sein, l'enfanter dans la douleur, remplir pour lui ses mamelles du lait, premier aliment de l'homme; approcher à toute heure du jour ou de la nuit cette source de vie des lèvres de son enfant, le porter dans ses bras pendant cette longue période de mois et d'années où le sein de la mère n'est pour ainsi dire qu'une seconde gestation de l'homme, lui apprendre à connaître, à balbutier, à aimer, à répondre à son sourire.

Incipe, parve puer, risu cognoscere matrem! comme dit le poëte.

Quelle fonction de la vie publique, ou dans les camps, ou sur les champs de bataille, ou dans les cités, ou dans les assemblées délibérantes, ou dans les tribunaux, ou dans les temples, pourrait convenir à un être voué par son sexe à de si douces et si maternelles fonctions? Si les femmes combattaient comme l'homme, chaque coup mortel tuerait en elles deux êtres au lieu d'un; l'enfant dans son sein ou à sa mamelle périrait en même temps que la mère; les carnages humains seraient doubles, l'humanité serait décimée dans sa source comme dans sa fleur. Qui pourrait supporter la vue d'un champ de bataille où les nourrissons expirants se traîneraient parmi les cadavres pour sucer le lait tari dans les mamelles sanglantes des mères? Il en serait de même dans toutes les autres fonctions publiques. Qui pourrait supporter sans répulsion et sans dégoût des assemblées de mégères exaspérées par l'esprit de parti, par l'ardeur des factions, par les convoitises de l'ambition ou de l'orgueil, se disputant la tribune au milieu des vociférations de leurs rivales, et vomissant l'injure, le délire, l'imprécation de ces lèvres d'où ne doivent sortir que la douceur, la tendresse, la compassion, la paix?

III

L'autorité, cette nécessité du gouvernement politique, n'est pas moins interdite aux femmes que la lutte ou la discussion. Qui dit autorité, dit force d'un côté, soumission et obéissance de l'autre. La force suppose la rigueur, l'obéissance suppose souvent la contrainte. Il faut faire taire son cœur pour commander; il faut faire taire son orgueil pour obéir. La femme qui fait taire son cœur n'est plus une femme, les hommes qui obéissent en murmurant n'aiment pas ce qu'ils craignent. Que deviendrait une famille où les hommes verraient dans les femmes des maîtres, au lieu d'y voir des mères, des amantes, des épouses, des consolatrices? Que deviendrait l'amour dans une société où la femme ordonnerait au lieu de persuader, et punirait au lieu de plaindre? L'amour s'éteindrait le jour où la femme, affectant une égalité de droit impossible, lutterait de tyrannie avec l'homme, au lieu de le dompter par le charme, cette seule tyrannie adorée des yeux et du cœur. Les femmes qui, dans certains temps, ont voulu sortir de la vie intérieure pour se hisser dans la vie extérieure sur les tréteaux de la politique, ne sont pas des femmes; ce sont des êtres sans sexe, abdiquant l'un sans revêtir l'autre, scandalisant la nature plus encore que la société. Il n'y avait pas besoin de loi contre elles, il suffisait de l'ostracisme du dégoût. Quel homme aurait été chercher son épouse, quel fils sa mère, au pied de ces tribunes tumultueuses, entre les applaudissements et les huées de la place publique?

IV

Nous ne pousserons pas plus loin la démonstration de l'incompatibilité de la vie publique dans les femmes avec la vie domestique qui leur a été dévolue, non par la loi, mais par la nature, oracle de la loi. Plus on creuserait, plus on acquerrait l'évidence de cette distinction que nous avons faite en commençant. Dans la vie commune, l'homme est l'être public, la femme est l'être domestique. Ils n'agrandissent pas leur rôle en usurpant celui de l'autre sexe, ils le diminuent. Plus l'homme est un être public, plus il est viril; plus la femme est un être domestique, plus elle est femme; l'ombre de la maison la sanctifie et la divinise presque, la publicité la flétrit.

V

Or, la communication de la pensée par la parole ou par le livre est une publicité pour la femme. Cette publicité ne livre pas son corps, mais elle livre son esprit, son cœur, son âme au grand jour. Elle fait de la femme auteur l'entretien de tous; elle viole le foyer, elle lève le voile, elle écarte la pudeur, elle appelle sur le nom, sur le visage, sur l'intelligence, sur l'âme même de la femme célèbre, le regard, la pensée, l'applaudissement ou le sarcasme du monde; la femme devient une actrice qui ne monte pas sur la scène, mais c'est une actrice à domicile, qui s'introduit avec son livre dans le foyer de chacun, qui passe de mains en mains comme une chose vénale, qui sollicite, au lieu du silence, le bruit, au lieu du mystère l'éclat, au lieu de l'estime d'un seul la renommée de tous.

Une femme qui écrit, du jour qu'elle écrit, est de moins pour son mari tout ce qu'elle est de plus pour le public. Mais ce n'est pas seulement son nom que la femme célèbre expose à tous les hasards de la renommée, c'est le nom de son mari, de ses enfants, de sa famille. Si elle encourt la gloire pour elle seule, elle encourt pour eux tous les inconvénients de la célébrité, la critique, la calomnie, l'envie, le ridicule, le mépris, quelquefois la haine. Ce nom, abrité sous son obscurité, devient malgré lui l'occupation et souvent le jouet de l'opinion publique. Que de malédictions ceux qui le portent n'ont-ils pas le droit d'adresser tout bas à la femme téméraire qui les livre ainsi malgré eux à la merci du bruit littéraire!

VI

D'ailleurs, sur quels sujets convenables la femme ambitieuse de ce bruit écrira-t-elle?

Écrira-t-elle sur l'amour? La pudeur s'envole à ce mot, et le scandale s'empare de ses pages.

Écrira-t-elle sur la religion? Toutes les sectes contraires se déchaîneront contre elle avec les imprécations du fanatisme offensé.

Écrira-t-elle pour le théâtre? Son nom risquera les huées d'un parterre.

Écrira-t-elle sur la politique? Les partis, les factions, les journaux ameutés par ses opinions, ne respecteront plus en elle ni la pudeur, ni le génie, ni la beauté, ni le sexe; les injures, les calomnies, les sarcasmes, les invectives, armes ordinaires des opinions dans ces guerres civiles de l'esprit, souilleront son caractère comme son talent; elle sera traînée dans l'arène des partis jusqu'à l'ignominie, peut-être jusqu'à l'échafaud, comme madame Roland, et, pour comble d'infortune, elle y entraînera jusqu'à son mari, jusqu'à ses enfants.

Voilà une partie des inconvénients, des dangers, des catastrophes de la célébrité littéraire dans la femme. Les hommes sentent ces périls d'instinct. Ils encouragent cette ambition de bruit dans celles qui ne leur appartiennent ni par le sang, ni par le nom, ni par l'amour; ils la redoutent avec raison dans celles qui leur appartiennent. Nous sommes convaincu qu'il n'y a pas un jeune homme cherchant une compagne de sa vie, qui ne reculât d'effroi si on lui disait d'avance: «La femme que vous recherchez pour épouse deviendra une femme célèbre; au lieu de placer son bonheur dans son amour, et sa gloire dans sa modestie, elle placera son bonheur dans l'admiration du monde pour son génie, et sa gloire dans le vent du bruit public, et le nom modeste mais honorable que vous allez lui donner sera mis en contraste perpétuel avec la funeste célébrité du nom importun qu'elle va vous faire. Votre foyer sera un lieu banal et profané, où sa gloire éclairera malgré vous votre obscurité. Rien ne sera à vous chez vous, pas même votre nom; tout sera au public. La mère de vos enfants couvrira d'avance leur berceau ou d'un nom qu'il faudra excuser pour les revers de son amour-propre, ou d'un nom difficile à porter par l'excès même de sa célébrité.»

VII

Et cependant, nous le répétons, il n'y a point de règle si générale pour laquelle un heureux et invincible génie ne soit une exception. On ne peut interdire à la nature de donner du génie à une femme, et, quand ce génie éclate en dépit de toutes les considérations sociales, il faut plaindre le mari, la famille, les enfants, mais il faut féliciter le siècle. La célébrité est comme le feu, qui brûle de près et illumine de loin: heureux ceux qui sont à distance d'une gloire de femme!

Il y a eu, il y a, il y aura des femmes illustres par le talent littéraire, sans que cette célébrité ait coûté rien aux vertus de leur sexe, témoins *Vittoria Colonna* en Italie et *madame de Sévigné* en France. Mais il convient de remarquer que leur célébrité involontaire n'a été que le resplendissement involontaire aussi de leur nature féminine, et nullement une prétention ambitieuse à la gloire de l'écrivain; elles n'ont été écrivains que parce qu'elles étaient épouses et mères, elles n'écrivaient pas pour le public ou pour la postérité, elles écrivaient l'une pour son mari, l'autre pour sa fille. Les poésies conjugales de *Vittoria Colonna* ne cherchaient leur écho et leur gloire que dans le cœur d'un époux toujours adoré, le marquis de Pescaire; les lettres de madame de Sévigné ne briguaient d'autre prix que la tendresse d'une fille. Elles restaient femmes, elles restaient mères, elles croyaient rester obscures en écrivant pour leurs tendresses et non pour leur gloire. Cette gloire domestique, à son origine, n'a été que l'indiscrétion de leurs foyers. La postérité a entendu battre leur cœur de femme et a pénétré malgré elles dans ce secret de leur génie qui n'était, comme il sied à des femmes, que le génie de leur amour. Ce n'étaient pas des poëtes, ce n'étaient pas des prosateurs, c'étaient des femmes; leurs œuvres ne sont que leurs tendresses, seules œuvres qui conviennent au sexe fait pour aimer.

VIII

La femme dont nous allons raconter la vie et les œuvres sortit de son sexe; elle affronta le bruit, elle se jeta dans le tumulte d'un grand siècle, elle parla, elle chanta, elle écrivit sur la religion, la philosophie, la politique, la liberté, la tyrannie; elle brava l'échafaud, elle subit l'exil; elle combattit corps à corps tantôt les factions, tantôt le conquérant de l'Europe, et, si son nom ne nous rappelait son sexe, nous la placerions par ses œuvres au rang des grands hommes; si c'est sa gloire, c'est aussi son malheur; moins virile, elle nous intéresserait davantage. On ne sort pas impunément de sa nature: ce qu'on gagne en gloire on le perd en amour. Racontons:

IX

Madame de Staël était fille de M. Necker. On peut dire d'elle qu'elle naquit en pleine publicité et qu'elle fut bercée sur les genoux de son siècle.

M. Necker, son père, était un de ces hommes de bruit et de vent que l'engouement de leur époque enfle jusqu'aux proportions d'un grand homme, qui passent la moitié de leur vie à surexciter les espérances de leurs contemporains et l'autre moitié à les détromper de leur fausse supériorité; routinier en finances, banquier plutôt qu'administrateur du trésor public, novateur en paroles, stérile en mesures, pompeux en éloquence, vide en idées, boursoufflé en style, obscur en chiffres, nul en politique, soulevant témérairement toutes les questions sans avoir le génie d'en résoudre aucune, les laissant retomber de tout leur poids, tantôt sur le peuple, tantôt sur le roi, et ne sauvant jamais que sa propre popularité du naufrage.

Mais M. Necker, l'histoire doit le reconnaître, était en même temps un honnête homme: en trompant le roi, la cour et la nation, il se trompait lui-même. Le vertige dont il avait été saisi, en s'élevant de la banque de M. Thelusson au ministère des finances, lui faisait croire à son infaillibilité comme à un décret de la Providence. Il était vertueux avec faste et orgueilleux avec conscience. Il voulait le bien public non-seulement parce que le bien public était honnête, mais parce que le bien public était lui. Il remplissait de son importance l'État tout entier; il effaçait le roi, la cour, la noblesse, le peuple. Le peuple le rassasiait de confiance, de déférence, d'adulation, de popularité. Oracle pour les uns, idole pour les autres, il était passé à l'état de divinité.

Les hommes de lettres du dix-huitième siècle, depuis *Buffon* jusqu'à *Thomas*, lui formaient une cour de gloire et lui escomptaient l'immortalité. Voltaire même, tout en le mesurant, affectait de le grandir. Sa femme, madame Necker, plus enivrée encore que lui de cette apothéose, groupait dans sa maison tous les rayons de célébrité contemporaine pour faire autour de lui un éblouissement d'opinion.

Cette femme était une institutrice génevoise, froide, vertueuse, un peu puritaine, sincère dans sa tendresse, mais habile à donner l'exemple du fanatisme pour son mari. La maison de M. Necker était de verre; on y attirait sans cesse les regards du public; on y voyait, dans un temps de licence et de corruption des mœurs, des scènes un peu apprêtées de philosophie, de religion, de bienfaisance, d'amour conjugal, d'éducation maternelle, de culte filial. C'était un théâtre domestique de vertu privée, servant à accréditer l'homme public.

Tel était le berceau de mademoiselle Necker. Faut-il s'étonner qu'une enfant, respirant dans cette atmosphère de célébrité, en soit sortie avec la soif et la prédestination de la gloire? Il faut s'étonner seulement que tant de faveurs du sort n'aient pas étouffé le génie. Mais rien ne le donne et rien ne l'étouffe. Le génie n'est pas de la compétence de la société, il est arbitraire comme la nature.

X

L'éducation de la jeune fille fut conforme à cette opulence et à ce caractère de ses parents. Elle n'eut pas d'enfance; elle grandit et fleurit, comme une plante rare en serre chaude, sous la vertu de sa mère, sous la gloire de son père, sous les caresses et sous les admirations précoces des familiers illustres de la maison: ébauche de statue destinée au piédestal, sans cesse exposée dans le salon de son père comme dans un atelier de gloire à laquelle chacun des hôtes de la maison donnait tour à tour son coup de ciseau! Le public était sa perspective, la renommée son horizon; vivre pour elle, c'était briller. On doit admirer comme un prodige qu'après une pareille éducation il soit resté un cœur à l'idole. Le cœur y survécut, mais non la grâce.

Sa figure, à quatorze ans, inspirait déjà plus d'étonnement que d'attrait. Toute sa beauté était dans les yeux, foyer de l'intelligence, qui doivent avoir dans la femme moins d'éclat que de douceur. Ses yeux étaient noirs et bien ouverts, mais ils supportaient le regard avec trop de fermeté pour une jeune fille; ses cheveux, noirs comme ses yeux, étaient naturellement bouclés, mais ils n'avaient pas cette finesse de tissu qui fait suivre mollement à la chevelure les contours du front, des joues, des épaules, et qui déplie un voile naturel sur la femme; son front était large, carré, un peu trop haut comme celui de son père; son nez régulier, mais large comme celui des fils de l'Helvétie, où la grasse fécondité du sol donne à la charpente du visage humain, comme à celle du bœuf de ces pâturages, un peu plus de matière et de solidité qu'il ne convient à la délicatesse des traits. Les pommettes de ses joues étaient saillantes et nuisaient à la courbe de l'ovale; la bouche, grande et presque toujours entr'ouverte, respirait à grands souffles l'air et l'enthousiasme. Le contour de lèvres épaisses était éloquent, même dans le silence; ces lèvres palpitaient de paroles muettes qui montaient de l'âme perpétuellement. Le menton était trop accentué et trop lourd pour un visage de femme. Le cou, gros et court, se rattachait par des muscles vigoureux à de belles épaules. Des bras arrondis, charnus, rappelaient la vigueur paysanesque des montagnards de sa patrie; la gorge était riche; la taille, massive sans flexibilité et sans affaissement, avait trop d'aplomb pour le poids d'une femme; sa stature courte et virile ne donnait ni élégance ni noblesse de race à sa personne. Mais la richesse de la séve et la fraîcheur alpestre du teint répandaient sur cette figure une jeunesse et un éblouissement qui suppléaient au dessin par le coloris: on croyait voir une vigoureuse fille des neiges de la Suisse, mais étrangère au milieu de l'aristocratie de Paris.

XI

La chaleur de l'âme répondait à cette teinte animée du visage. Une jeune fille de Genève, que madame Necker avait appelée auprès d'elle pour donner un objet aux premières amitiés de sa fille encore enfant, raconte ainsi les premiers épanchements de son amie: «Elle me parla avec une chaleur et une facilité qui étaient déjà de l'éloquence et qui me firent une grande impression. Nous ne jouâmes point comme des enfants; elle me demanda tout de suite quelles étaient mes leçons, si je savais quelques langues étrangères, si j'allais souvent au spectacle. Quand je lui dis que je n'y avais été que trois ou quatre fois, elle se récria, me promit que nous irions souvent ensemble à la comédie, ajoutant qu'au retour il faudrait écrire le sujet des pièces et ce qui nous aurait frappées, que c'était son habitude... Ensuite, me dit-elle encore, nous nous écrirons tous les matins.

«Nous entrâmes dans le salon. À côté du fauteuil de madame Necker était un petit tabouret de bois où s'asseyait sa fille, obligée de se tenir bien droite. À peine eut-elle pris sa place accoutumée, que trois ou quatre vieux personnages s'approchèrent d'elle, lui parlèrent avec le plus tendre intérêt. L'un d'eux, qui avait une petite perruque ronde, prit ses mains dans les siennes, où il les retint longtemps, et se mit à faire la conversation avec elle comme si elle avait eu vingt-cinq ans.

Cet homme était l'abbé Raynal. Les autres étaient MM. Thomas, Marmontel, le marquis de Pesay et le baron de Grimm.

«On se mit à table. Il fallait voir comment mademoiselle Necker écoutait! Elle n'ouvrait pas la bouche, et cependant elle semblait parler à son tour, tant ses traits mobiles avaient d'expression! Ses yeux suivaient les regards et les mouvements de ceux qui causaient; on aurait dit qu'elle allait au-devant de leurs idées. Elle était au fait de tout, même des sujets politiques, qui, à cette époque, faisaient déjà un des grands intérêts de la conversation.

«Après le dîner, il vint beaucoup de monde. Chacun, en s'approchant de madame Necker, disait un mot à sa fille, lui faisait un compliment ou une plaisanterie... Elle répondait à tout avec aisance et avec grâce; on se plaisait à l'attaquer, à l'embarrasser, à exciter cette petite imagination qui se montrait déjà si brillante. Les hommes les plus marquants par leur esprit étaient ceux qui s'attachaient davantage à la faire parler; ils lui demandaient compte de ses lectures, lui en indiquaient de nouvelles, lui donnaient le goût de l'étude en l'entretenant de ce qu'elle savait ou de ce qu'elle ignorait.»

XII

Dès cette époque la partialité de monsieur Necker pour les qualités brillantes de l'esprit de sa fille, et la sévérité de madame Necker, qui voyait des dangers dans la précocité de ce génie, établirent entre le père et la fille une intimité d'esprit qui blessa la mère. Madame Necker dissimula mal sa jalousie contre une enfant qui l'éclipsait dans son salon et jusque dans le cœur de son père. Une froideur qui ne se réchauffa plus jamais glaça les rapports de la mère et de la fille. Madame Necker avait voulu faire de sa fille un modèle, la nature en avait fait un prodige; elle s'alarma d'un éclat qu'elle ne pouvait ni modérer ni voiler. Elle ne fut bientôt plus que la seconde merveille dans sa propre maison. Son orgueil ne souffrit pas moins que sa prévoyance maternelle: elle fut la première éclipsée par le chef-d'œuvre qu'elle avait voulu montrer aux mères. Ce fut dès ce jour l'amertume du reste de sa vie.

On retrouve les traces de cette tristesse de la mère et de cet éloignement de la fille dans les entretiens de madame Necker et dans les écrits de madame de Staël. L'une gémit, l'autre se tait; on sent le froid qui s'est introduit dans la famille.

La passion de la célébrité qui possède également ces trois personnes devient leur châtiment; cette célébrité attire de loin les regards du monde sur la fille et glace de près ces trois cœurs qui éprouvent la rivalité dans leur propre sang. Il y a peu de leçons comparables à cet exemple: la publicité à laquelle on a témérairement voué la fille devient le fléau du foyer.

XIII

La conversation ne suffisait déjà plus à cette ardeur de gloire que l'éducation avait allumée dans l'âme de la jeune fille. L'époque toute littéraire et la société toute lettrée au milieu de laquelle on l'avait jetée ne s'entretenaient que des chefs-d'œuvre de la littérature; la gloire de la tribune et celle des champs de bataille, qui allaient naître pour la France révolutionnaire, n'étaient pas encore nées. Un livre était un homme, une nation, un siècle, une postérité. Voltaire et J. J. Rousseau étaient, l'un par son aptitude universelle, l'autre par son éloquence morose, les rois du bruit. Tout le monde aspirait à quelques lambeaux de leur gloire: écrire alors c'était régner. Une renaissance de la pensée libre éclatait sur l'Europe. Le foyer de cette renaissance, allumé en Angleterre un demi-siècle auparavant, était alors Paris. Cette renaissance s'appelait la philosophie française; chacun y empruntait ou y apportait son rayon. Le salon de M. Necker les condensait tous; mais, par une politique personnelle qui s'appliquait à recruter des partisans dans tous les partis de la pensée, monsieur et madame Necker gardaient une certaine neutralité caressante entre tous ces philosophes et tous ces écrivains, promulguant les principes, ajournant les applications, ménageant les rivalités, vénérant le passé, saluant l'avenir, se réfugiant dans la tolérance pour n'avoir pas à se prononcer entre la philosophie et le christianisme, entre l'aristocratie et le peuple, entre la monarchie et la république.

Par indulgence pour le crédit du ministre dont on briguait les faveurs, on était tacitement convenu de respecter cette équivoque. On s'extasiait également sur les théories philosophiques du père et sur les œuvres pieuses de la mère. Tout se conciliait dans une religiosité supérieure et élastique qui se prêtait à toutes les opinions théologiques et qui enveloppait d'une égale tolérance les sectes contraires. Mais en réalité M. Necker était alors un théiste, madame Necker une protestante. L'un et l'autre se séparaient au moins du scepticisme ou de l'athéisme régnant par une foi vive dans la Divinité, dans la Providence et dans la destinée immortelle de l'âme.

Leur fille était née dans une atmosphère plus libre que celle de Genève, ville théologique où respire toujours le souffle contentieux de Calvin; elle vivait depuis son enfance sur les genoux des philosophes, elle inclinait par sentiment comme par éducation vers la religion philosophique de son père.

L'âme éloquente de J. J. Rousseau, son compatriote, avait passé dans cette enfant. Elle était de la religion qui parlait le plus éloquemment de la nature et de la liberté en s'élevant cependant à l'adoration du Créateur: c'était alors celle du philosophe de Genève exprimée dans la profession de foi du *Vicaire Savoyard.*

Les philosophes, plus secs de cœur et plus implacables de logique, ne pardonnaient pas à J. J. Rousseau sa condescendance pour le christianisme, qu'ils ne remplaçaient que par l'athéisme: de là, deux sectes dans la philosophie nouvelle, celle des philosophes impies et celle des philosophes pieux. Mademoiselle Necker était de celle de son père et du fils de l'horloger, comme on appelait alors J. J. Rousseau; mais elle était surtout de la religion littéraire du moment, la déclamation, l'éloquence, la gloire, le génie humain. Elle brûlait du désir de prendre place dans la renommée du siècle, dont le salon de son père était le cénacle.

XIV

Elle essaya ses forces dans la langue qui tente et qui trompe le plus les jeunes imaginations, celle des vers. Ses premiers essais de lyrisme et de drame furent malheureux. L'outil était trop lourd pour une main d'enfant, trop lourd même pour une main de femme. À l'exception de la virile Sapho, dont cinq ou six vers attestent l'énergie poétique, aucune femme, dans aucune langue antique ou moderne, n'a laissé un seul fragment de ces vers que les siècles se transmettent en les répétant comme un monument du sentiment ou de la pensée humaine. Cette lacune universelle, dans la littérature de tous les pays et de tous les âges, est au moins une présomption contre l'aptitude des femmes à la haute poésie exprimée en vers.

De toute la création, la femme est cependant l'être le plus essentiellement poétique, puisqu'elle est certainement l'être le plus richement doué des quatre facultés qui font le poëte suprême, l'imagination, la sensibilité, l'amour, l'enthousiasme. Pourquoi donc aucune femme ne fut-elle jusqu'ici un grand poëte en vers? C'est qu'apparemment le vers est un instrument exclusivement viril qui veut, comme l'éloquence de la tribune, une main d'homme pour le faire vibrer complétement à l'oreille, au cœur, à la raison, à la passion de l'humanité. C'est le mystère de la langue plus que celui de la nature. Le vers français, dont nous avons accusé ailleurs le vice et la puérilité trop musicale dans notre poésie rimée, est cependant la dernière expression de la condensation, de l'harmonie, de la vibration, de l'image, de la grâce ou de l'énergie dans la parole humaine. C'est la transcendance du langage, c'est la concentration de la pensée ou du sentiment dans peu de mots, c'est l'explosion de la phrase éclatant comme le canon sous la charge qu'une main vigoureuse a introduite et bourrée dans le tube de bronze; c'est l'idée, le sentiment, l'image, le son, la brièveté fondus ensemble d'un seul jet au feu de l'inspiration et formant ce métal de Corinthe dont nul n'a pu découvrir le secret en le décomposant; c'est l'algèbre sans chiffres qui abrége tout, qui dit tout, qui peint tout d'un seul trait; c'est la conception et l'enfantement de l'âme en un seul acte, c'est le délire raisonné surexcitant au dernier degré les facultés expressives de l'homme, mais c'est le délire se connaissant, se possédant, s'exaltant en se jugeant, se contenant avec la suprême autorité du sang-froid comme le coursier emporté qui tiendrait lui-même son propre frein. Peut-être la tension prodigieuse d'esprit nécessaire au grand poëte pour cette éjaculation à la fois passionnée et raisonnée des vers, est-elle disproportionnée à la force et à la délicatesse des organes de la pensée dans la femme? Peut-être sa main débile, qui n'a pas été façonnée pour l'effort, ne peut-elle jamais parvenir à tendre assez puissamment la corde de l'arc pour que la flèche du vers atteigne le but et touche l'âme en la charmant, comme le trait invisible de l'archer qui déchire l'air en le traversant et qui résonne à l'oreille en perçant le cœur? Nous l'ignorons, mais c'est un fait historique et universel qu'aucune femme encore n'a pu chanter comme Homère ni parler comme Démosthène.

Le poëme et le discours sont œuvres viriles, parce que l'un est le trépied, l'autre la tribune; l'un monte trop haut dans le ciel, l'autre descend trop bas dans le tumulte humain. La femme, même la femme de génie, veut un piédestal plus rapproché des yeux et des cœurs.

XV

Mademoiselle Necker, convaincue par cette première épreuve de l'inégalité de ses forces à son ambition de gloire poétique, renonça pour quelque temps aux vers; elle écrivit son premier ouvrage en prose, les *Lettres sur les écrits et le caractère de J. J. Rousseau.* Ces premières pages révélèrent plus qu'un grand style, une grande âme dans cette jeune femme: J. J. Rousseau y est jugé comme il doit l'être par la pitié et par l'enthousiasme. Mademoiselle Necker n'avait pas encore atteint les années arides du bons sens.

Les utopies spéculatives de l'auteur du *Contrat social*, de l'*Émile*, des plans chimériques de constitution de Pologne et de Corse, n'étaient pas à la portée de sa critique. Mais les malheurs de Rousseau, sa misanthropie tour à tour chagrine ou plaintive, l'éloquence de ses sentiments qui cachait le néant de ses idées, étaient de la compétence de son cœur. Elle emprunta quelque chose du style de ce grand harmoniste et de ce grand coloriste pour parler de lui. On reconnut dans le portrait la manière du modèle; on y reconnut surtout une certaine audace d'idées et une certaine indépendance de jugements qui rappelaient la séve étrangère et qui marquaient alors toutes les œuvres écrites au bord du lac de Genève. Cette vallée de *Kachemire* de l'Occident, cette colonie de la liberté religieuse et de la liberté républicaine, encaissée dans des remparts de neige entre le Jura et les Alpes, semblait donner de l'étrangeté et de la hardiesse à la pensée. J. J. Rousseau en était sorti pour étonner la société de ses invectives, et pour peindre la nature de couleurs neuves empruntées aux aspects, aux forêts, aux neiges, aux eaux de cette *Tempé* de l'Helvétie. Haller y avait chanté des odes pindariques, hymnes spontanées de la création au Créateur. Gessner y avait transplanté les scènes pastorales d'un Théocrite des Alpes. Gibbon y était venu d'Angleterre pour être plus libre dans ses jugements sur les religions et sur la société; il y avait écrit, pendant une séance de dix ans, la grande histoire de la décomposition et de la transformation de l'empire Romain par le christianisme. L'esprit de parti et l'esprit de secte sont parvenus à le décréditer aujourd'hui d'un dénigrement inique, mais cette œuvre n'en ressortira pas moins de cette éclipse comme le plus inaltérable monument d'érudition, de saine critique, d'impartialité historique et de récit sévère que le dix-huitième siècle ait légué à l'Europe.

Voltaire avait abrité en Suisse, à soixante-deux ans, son génie, au moment où sa vie littéraire finissait, et où il commençait sa vie philosophique. L'air des montagnes avait retrempé même son talent politique affadi par l'air des cours. La fille de M. Necker devait bientôt y écrire les plus beaux livres de sa maturité, et lord Byron les plus beaux chants de son *Child Harold*, cette odyssée de l'âme d'un poëte incomparable.

Les *Lettres sur J. J. Rousseau*, ainsi que plusieurs opuscules de cette première adolescence de mademoiselle Necker, n'eurent pas besoin de l'indulgence due à son âge et de la courtisanerie des familiers de son père pour faire sensation dans le monde lettré à Paris. On n'était pas accoutumé à une telle virilité romaine d'idées et d'accents sous une main de jeune femme. Un immense applaudissement accueillit ces essais. On ne pouvait y méconnaître une force étonnante sous un peu de déclamation, mais la déclamation dans la première jeunesse est comme l'écume du génie qui court trop vite et qui gronde trop fort au commencement de sa course; on pardonne ce bouillonnement de style au premier jet.

Quand la déclamation est vide et froide, elle prouve le néant de l'âme; mais, quand elle est pleine et chaude, elle prouve la surabondance d'idées. L'une est l'hypocrisie du sentiment, l'autre n'en est que l'exagération; entre feindre ce qu'on ne sent pas ou exagérer ce qu'on sent, il y a la distance du mensonge à l'emphase. D'ailleurs, à l'exception de Voltaire, qui avait trop de muscles dans la pensée pour recourir à l'enflure, tout le dix-huitième siècle déclamait un peu: Diderot, Thomas, Buffon, Guibert, Raynal, Marmontel, la cour entière de philosophes et d'hommes de lettres groupés autour de M. Necker, n'étaient pas exempts de déclamation dans leur style. J. J. Rousseau lui-même, excepté dans son chef-d'œuvre des *Confessions*, n'avait été que le plus sublime des déclamateurs.

Madame Necker faisait déclamer la vertu; M. Necker faisait déclamer jusqu'aux chiffres. Il n'est pas étonnant que leur fille ait contracté dans cette société le vice du temps. C'était un siècle de recherche en tout genre. Chacun aspirait à la vérité en religion, en politique, en littérature, en système; chacun enflait sa voix pour se persuader à lui-même et pour persuader aux autres qu'il l'avait trouvée.

XVI

Ces premiers succès placèrent mademoiselle Necker sur un piédestal dans le salon et dans le monde de son père. Elle avait été l'enfant de l'espérance, elle devint le prodige de la jeunesse. Ce fut de cette époque qu'elle prit le goût et la passion de ce qu'elle appelle sans cesse dans ses ouvrages la *société*, c'est-à-dire un cercle plus ou moins étendu d'hommes oisifs et de femmes désœuvrées qui se réunissent le soir dans un salon pour causer au hasard de toutes choses. Cette étrange institution du *commérage*, connue seulement des grandes courtisanes et des marchandes d'herbes d'Athènes, était incompatible avec la civilisation antique de l'Orient et même de l'Occident. Ni dans les Indes, ni dans la Chine, ni en Égypte, ni en Perse, ni en Arabie, ni en Grèce, ni à Rome, la législation, la religion, les mœurs n'auraient admis cette promiscuité élégante et *garrule* des deux sexes dans des réunions habituelles pour se donner en spectacle et en divertissement d'esprit les uns aux autres.

Ici régnaient l'esclavage et la polygamie; là les usages, la modestie, l'ombre du foyer domestique imposés aux filles, aux femmes, aux mères, les renfermaient dans le sanctuaire de leur foyer ou ne leur permettaient que les visites et les conversations entre elles. Le moyen âge ne connaissait pas davantage cette société mixte d'hommes et de femmes se rencontrant à jour et à heure fixes dans un salon pour causer ensemble. Les mœurs austères des premières nations chrétiennes auraient vu dans cette institution de plaisir intellectuel un souvenir de la bayadère des Indes ou de la courtisane de Rome. Les Tartares de la Russie, les Germains, les Bretons l'ignoraient; les hommes et les femmes s'y réunissaient et s'y réunissent encore séparément. La conversation, bornée aux choses domestiques entre les femmes, aux choses publiques entre les hommes, ne confondait que rarement, et pour des solennités religieuses, les deux sexes dans les temples ou dans les spectacles.

Les Italiens, dans la décadence des mœurs sous les papes à Rome et sous les Médicis à Florence, et les Français après les Italiens, furent les premiers qui ouvrirent ces lices d'esprit dans des cours, dans des salons privés, où la conversation devint la seule fête des conviés. L'Italie les borna aux délices de la poésie et de l'amour, ces consolations des pays esclaves; la sociabilité française, vice et qualité de la nation, les multiplia et les étendit à tous les sujets, depuis la galanterie et la littérature jusqu'à la politique et à la philosophie. Elle appela ces entretiens la *société* par excellence. La conversation, besoin d'échange des esprits et des cœurs, devint une nécessité et presque une institution du pays.

Le commérage relevé à la dignité d'entretien, tantôt léger, tantôt sérieux, passa en loi. Les visites furent des devoirs de société, les salons des assemblées publiques, sans contrôle des gouvernements. L'opinion publique, cette atmosphère, cette *aura* dont vivent et meurent les gouvernements, y naquit pour devenir peu à peu la véritable souveraineté nationale; les fauteuils furent des tribunes, les causeurs des orateurs, les causeries des harangues.

XVII

Beaucoup de femmes éminentes par l'esprit ou les grâces y portèrent l'agrément; mademoiselle Necker essaya d'y porter pour la première fois l'éloquence. Le temps s'y prêtait autant que la nature toute littéraire et toute politique de l'esprit des salons. La révolution française, prête à éclater dans les actes, fermentait déjà partout dans les âmes. La France était travaillée des frissons et des douleurs d'un grand enfantement; elle sentait remuer dans son sein quelque chose, un génie ou un monstre, elle ne savait pas bien quoi; mais les vieilles choses s'écroulaient pour faire place aux nouveautés.

La parole était à tout le monde; c'était le bruit général d'un grand déplacement de foi, d'idées, d'institutions, de souveraineté, de lois, de mœurs, de préjugés, devant la raison, devant la philosophie, devant la nation, qui s'avançaient pour tout remplacer ou pour tout confondre.

Le salon de M. Necker, que l'on croyait l'initiateur et le modérateur du mouvement, était le foyer le plus retentissant de tout ce bruit. Hommes de lettres, hommes de cour, femmes avides d'adoration ou d'importance, diplomates étrangers, voyageurs de toutes les nations du continent, orateurs du parlement britannique, républicains d'Amérique consacrés par l'auréole de leur liberté naissante, se pressaient chaque soir dans ce salon. Le silence obligé du premier ministre, la réserve un peu contrainte de la mère affligée de l'éclat prématuré de sa fille, y laissaient la parole à mademoiselle Necker. L'admiration ou l'adulation générale l'encourageait; les applaudissements devançaient le mot; l'enthousiasme éclatait à chaque phrase. La société transformée en auditoire provoquait, au lieu de l'entretien, le discours. La jeune femme, habituée de bonne heure au monologue par l'exercice quotidien de sa plume et par l'éloquence des hommes supérieurs entendus dès l'enfance chez son père, se laissait emporter par son enthousiasme; la charmante timidité de son sexe et de son âge, cette pudeur de l'âme, aussi rougissante que celle du corps, n'était jamais née en elle. La publicité de son enfance l'avait supprimée. Il ne manquait à son esprit que cette grâce, mais cette grâce eût été en même temps son silence. On regrettait un moment en elle cette innocence du génie qui s'ignore et doute de lui-même; on finissait par l'oublier au charme de son improvisation virile. Ce n'était plus une femme, c'était un poëte et un orateur.

Le personnage oratoire et poétique de Corinne, qu'elle a dépeint plus tard dans son voyage d'Italie, n'est pas une fiction; c'est le portrait de mademoiselle Necker peinte devant sa glace par elle-même. À cette époque de sa vie, dans ce portrait, elle flatta sa figure, mais non son talent.

«Elle était vêtue, comme la sibylle du Dominiquin, d'un châle des Indes, tourné autour de sa tête, et ses cheveux, du plus beau noir, étaient entremêlés avec ce châle; sa robe était blanche; une draperie bleue se rattachait au-dessous de son sein; son costume était très-pittoresque, sans s'écarter cependant assez des usages reçus pour que l'on pût y trouver de l'affectation. Son attitude (sur le char) était noble et modeste; on apercevait bien qu'elle était contente d'être admirée, mais un sentiment de timidité se mêlait à sa joie et semblait demander grâce pour son triomphe; l'expression de sa physionomie, de ses yeux, de son sourire, intéressait pour elle, et le premier regard fit de lord Nelvil son ami, avant même qu'une impression plus vive le subjuguât. Ses bras étaient d'une éclatante beauté; sa taille, grande, mais un peu forte, à la manière des statues grecques, caractérisait énergiquement la jeunesse et le bonheur; son regard avait quelque chose d'inspiré. L'on voyait, dans sa manière de saluer et de remercier pour les applaudissements qu'elle recevait, une sorte de naturel qui relevait l'éclat de la situation extraordinaire dans laquelle elle se trouvait; elle donnait à la fois l'idée d'une prêtresse d'Apollon qui s'avançait vers le temple du Soleil et d'une femme parfaitement simple dans les rapports habituels de la vie; enfin, tous ses mouvements avaient un charme qui excitait l'intérêt et la curiosité, l'étonnement et l'affection.»

XVIII

La célébrité de mademoiselle Necker, qui aurait effrayé les hommes supérieurs qui cherchent dans une femme une épouse et non une émule de gloire, éblouissait les hommes médiocres; ils se flattaient de donner leur nom à une femme qui ajouterait à ce nom le lustre du génie; ils s'imaginaient qu'un reflet futur de cette gloire rejaillirait sur leur propre médiocrité; ils oubliaient qu'un homme ordinaire n'est jamais que l'ombre de cet éclat emprunté, que le mari d'une femme célèbre n'a plus même pour abriter sa vie intérieure l'obscurité de son foyer domestique. Partout où une telle épouse porte la lumière, elle attire le regard du public; son mari et sa famille deviennent visibles aux yeux importuns qu'ils voudraient en vain éviter.

Ces considérations cependant éloignaient ces prétendants français, anglais ou italiens de la main de cette fille unique, malgré la fortune, le crédit, la popularité de son père; mais les hommes du Nord, plus candides et plus enthousiastes, ne sont pas retenus par ce scrupule de leur amour-propre. La supériorité d'une épouse les offusque moins, parce qu'ayant moins de prétention pour eux-mêmes, ils placent leur orgueil dans la gloire de leur idole; ils s'honorent d'admirer de plus près l'épouse que le monde admire loin; leur amour n'a pas besoin de l'égalité, il est un culte; ils se sacrifient en se subordonnant à celles qu'ils adorent.

Le baron de Staël, ami de Gustave III et ambassadeur de Suède à Paris, brigua et obtint la main de mademoiselle Necker. Il ne manquait à cette famille, parvenue au sommet de l'importance et du crédit par la richesse et par la faveur, qu'une alliance illustre qui les naturalisât dans l'aristocratie européenne. La naissance, le nom, le rang du baron de Staël anoblissaient l'épouse et rejaillissaient sur les parents. M. et madame Necker, qui tendaient à la supériorité sociale par toutes les voies avaient trop senti les froissements de leur vanité à la cour pour ne pas apprécier à leur prix de hautes alliances; en anoblissant leur fille en Suède, ils anoblissaient en France leur propre sang; ils s'apatriaient dans toutes les noblesses de l'Europe.

Le baron de Staël fut agréé. Le roi de Suède promit, pour faciliter le mariage, qu'il conserverait pendant de longues années à ce gentilhomme la place d'ambassadeur à Paris. M. de Staël, de son côté, s'engagea, par contrat, à ne jamais forcer sa femme à le suivre en Suède. À ce prix, il obtint la main de mademoiselle Necker.

C'était un homme déjà mûr d'années, d'une figure noble, d'une distinction de manières qui répondait à sa considération personnelle dans le monde, d'un esprit suffisant pour jouir des succès de sa femme sans prétendre à l'égaler, un de ces hommes qui acceptaient les seconds rangs partout, même dans leur maison.

Cette union sans tendresse, mais sans orages, ne fit qu'ajouter le nom, le rang, la liberté, la considération d'une ambassadrice de Suède à Paris, à la célébrité littéraire précoce de madame de Staël et à sa qualité de fille du ministre le plus influent du conseil du roi.

Trois enfants, deux fils et une fille naquirent de ce mariage. Il ne fut troublé que plus tard par des séparations de fortune dans l'intérêt des enfants, séparations de biens qui amenèrent des séparations de personnes; mais, quoique relâchés et peu intimes, les rapports entre deux époux si disproportionnés de nature, d'âge et d'opinion, conservèrent toujours la décence, cette seule vertu que le monde avait le droit de demander alors à ces unions de convenance. La séparation même ne dura pas jusqu'à la mort; le baron de Staël revint, après la révolution française, mourir entre les soins de sa femme et les respects de ses enfants.

XIX

La révolution qui se précipitait par toutes les innovations que la popularité de M. Necker et la déférence de Louis XVI à ses avis lui avaient ouvertes, ne tarda pas à dépasser les idées de 89 et à détrôner le roi. Les états généraux du royaume, comme tout esprit politique l'avait prévu excepté M. Necker, s'étaient révolutionnés eux-mêmes le premier jour de leur réunion à Versailles. M. Necker, ne pouvant plus être leur modérateur, avait été leur jouet; la cour l'avait congédié comme leur complice; le peuple l'avait rappelé par l'insurrection du 14 juillet. Rejoint à Bâle par les messagers du roi et du peuple, il était rentré à Paris avec sa femme et sa fille, comme un triomphateur, par la dernière brèche de la monarchie.

Ce triomphe n'avait été que d'un jour; le lendemain, le peuple s'était indigné d'avoir accordé à son favori quelques têtes proscrites. M. Necker avait repris, sans influence et sans dignité, le rang, désormais illusoire, de premier ministre. Le ministère ne consistait plus qu'à être le témoin officiel des dégradations coup sur coup de la royauté, et à ratifier les empiètements de l'Assemblée et les émeutes de la capitale. Mirabeau, le vrai ministre de cette démolition, bafouait M. Necker de ses ironiques éloges; le peuple, à qui il n'avait plus rien à refuser, le livrait aux Jacobins qui lui promettaient des ruines plus complètes; le ministre déconcerté n'apportait au conseil que des plans de finances avortés, des gémissements et des déceptions.

XX

Aucun remords généreux ne lui inspira dans sa déchéance un parti capable de sauver le roi qu'il avait perdu, ou d'honorer du moins la chute du trône par un magnanime effort. Il se laissait emporter comme un débris inerte et sans volonté par ce courant de ruine. Quand il vit sa propre vie menacée par les séditions croissantes à Paris, il abandonna enfin le timon qui ne gouvernait déjà plus qu'au gré des tempêtes, et il se réfugia avec sa femme et sa fille dans son château de Coppet, à l'abri de la révolution, sur une terre étrangère.

Sa fille, protégée par son titre d'ambassadrice, ne tarda pas à revenir à Paris où la rappelaient ses opinions, ses attachements et son ardeur politique. Sa jeunesse, sa passion, ses enthousiasmes, ses liaisons avec les publicistes et les orateurs du temps lui avaient fait dépasser les opinions de son père.

M. Necker avait rêvé une monarchie à trois pouvoirs pondérés comme l'Angleterre, sans considérer que les gouvernements ne se copient pas, mais qu'ils se moulent sur le type des traditions, des idées, des mœurs, des classes préexistantes dans un pays. Les plagiats en politique ne sont pas seulement des platitudes, ce sont des chimères. La France qui n'a d'aristocratie que dans l'intelligence, et où par conséquent l'aristocratie est personnelle, ne pouvait reconstituer d'une main les priviléges politiques qu'elle détruisait de l'autre. Aristocratie et France moderne sont deux mots qui se nient l'un à l'autre. La force ou l'idée, voilà alternativement le gouvernement de la France; mais il n'y a point de place pour le gouvernement de convention et de préjugé. Les esprits y marchent trop vite pour s'arrêter dans les institutions moyennes. L'extrême en tout, c'est le vice et la vertu de cette nation.

XXI

Madame de Staël, imbue encore des illusions britanniques puisées dans le salon de son père, abandonnait facilement la monarchie pour la république, mais continuait à rêver l'aristocratie constituée dans la république; sa véritable opinion à cette époque était celle des *Girondins* avec la démocratie de moins et l'aristocratie de plus pour suppléer au trône aboli. Une gironde aristocrate, c'était sa vraie nature. Elle fut, avant madame Roland, *girondine démocrate*, l'âme des derniers ministères qui tentèrent de sauver à force de concessions, sinon la monarchie, au moins le roi et sa famille. Le jeune et beau comte Louis de Narbonne, ministre de la guerre avant Dumouriez, puisait ses inspirations dans les pensées de madame de Staël et sa récompense dans son amitié. Tout fut inutile: les vrais Girondins, dépassés eux-mêmes par les Jacobins le 10 août, furent contraints de se précipiter avant leur heure dans la république d'anarchie, au lieu de la république de principes, puis entraînés jusqu'à l'échafaud du roi et de là jusqu'à leur propre échafaud. Le gouvernement de la terreur remplaça le gouvernement de l'opinion. Les femmes s'enfuirent, les salons se turent; madame de Staël épouvantée se retira chez son père, à Coppet, pour laisser passer la hache qui fauchait tout, pour protester et surtout pour vivre. Cette terreur refoula son âme dans la réflexion et dans le sentiment, les deux puissances de la solitude.

XXII

Les écrits qu'elle composa alors portent l'empreinte d'une généreuse émotion. Elle faisait silence, cependant, de peur d'être entendue des Jacobins et de Robespierre, le Marius des idées dont J. J. Rousseau avait été le philosophe. Elle écrivit sous le voile de l'anonyme *une défense de la reine Marie-Antoinette*, adressée aux Français. Cette apologie au pied de l'échafaud était généreuse, mais sans péril. Tout porte à croire néanmoins que, s'il eût fallu devenir le *Malesherbes* des femmes et offrir sa tête aux juges pour sauver celle de la reine, madame de Staël n'aurait pas hésité à se nommer et à se montrer. Elle avait la magnanimité du caractère autant que la magnanimité de la pensée. Derrière l'échafaud elle voyait la gloire de le braver pour sauver un crime à la liberté; mais en ce moment, et en se montrant alors, elle n'aurait fait que perdre son père et ses enfants. Une protestation jetée au peuple par une main cachée, du sein du nuage, soulageait au moins sa conscience de femme. Les accents en étaient émus et rappelaient l'éloquence virile du grand orateur anglais Burke, qui avait fait frémir et pleurer l'Europe entière sur les outrages et la captivité de Marie-Antoinette.

«Depuis un an, dit en finissant madame de Staël, depuis un an que le secret le plus impénétrable entoure sa prison, on a dérobé tous les détails de ses douleurs; mille précautions ont été prises pour en étouffer le bruit. Un tel mystère honore le peuple français: on a craint son indignation, on peut donc encore espérer sa justice. Il aurait su, ce peuple, qu'on apporta devant la fenêtre de Marie-Antoinette la tête de son amie. Ignorant les fatales nouvelles de ce jour épouvantable, on la força, par un barbare silence, à contempler longtemps des traits ensanglantés qu'elle reconnaissait à peine à travers l'horreur et l'effroi. Elle se convainquit enfin qu'on lui présentait les restes défigurés de celle qui mourut victime de son attachement pour elle. Cruels ordonnateurs de cette scène! vous qui vîtes devant vous votre malheureuse reine prête à mourir de désespoir, saviez-vous alors tout ce qu'elle devait souffrir? Et les mouvements d'un cœur sensible, ces mouvements qui devaient vous être inconnus, les aviez-vous appris pour être plus certains de vos cœurs?

«Pendant le procès du roi, chaque jour abreuvait sa famille d'une nouvelle amertume; il est sorti deux fois avant la dernière, et la reine, retenue captive, ne pouvant parvenir à savoir ni la disposition des esprits ni celle de l'assemblée, lui dit trois fois adieu dans les angoisses de la mort; enfin le jour sans espérance arriva. Celui que les liens du malheur lui rendaient encore plus cher, le protecteur, le garant de son sort et de celui de ses enfants, cet homme, dont le courage et la bonté semblaient avoir doublé de force et de charme à l'approche de la mort, dit à son épouse, à sa céleste sœur, à ses enfants, un éternel adieu; cette malheureuse famille voulut s'attacher à ses pas, leurs cris furent entendus des voisins de leur demeure, et ce fut le père, l'époux infortuné qui se contraignit à les repousser. C'est après ce dernier effort qu'il marcha tranquillement au supplice, dont sa constance a fait la gloire de la religion et l'exemple de l'univers. Le soir, les portes de la prison ne s'ouvrirent plus, et cet événement, dont le bruit remplissait alors le monde, retombe tout entier sur deux femmes solitaires et malheureuses, et qui n'étaient soutenues que par l'attente du même sort que leur frère et leur époux. Nul respect, nulle pitié ne consola leur misère; mais rassemblant tous leurs sentiments au fond de leur cœur, elles surent y nourrir la douleur et la fierté. Cependant, douces et calmes au milieu des outrages, leurs gardiens se virent obligés de changer sans cesse les soldats apostés pour les garder; on choisissait avec soin, pour cette fonction, les caractères les plus endurcis, de peur qu'individuellement la reine et sa famille ne reconquissent la nation qu'on voulait aliéner d'elles. Depuis l'affreuse époque de la mort du roi, la reine a donné, s'il était possible, de nouvelles preuves d'amour à ses enfants. Pendant la maladie de sa fille, il n'est aucun genre de services que sa tendresse inquiète n'ait voulu lui prodiguer; il semblait qu'elle eût besoin de contempler sans cesse les objets qui lui restaient encore pour retrouver la force de vivre, et cependant un jour on est venu lui ôter son fils; l'enfant, pendant deux fois vingt-quatre heures, a refusé de prendre aucune nourriture. Jugez quelle est sa mère par le sentiment énergique et profond qu'à cet âge déjà elle a su lui inspirer! Malgré ses pleurs, au péril de sa jeune vie, on a persisté à les séparer. Ah! comment avez-vous osé, dans la fête du 10 août, mettre sur les pierres de la Bastille des inscriptions qui consacraient la juste horreur des tourments qu'on y avait soufferts? Les unes peignaient les douleurs d'une longue captivité, les autres l'isolement, la privation barbare des dernières ressources; et ne craigniez-vous pas que ces mots: *ils ont enlevé le fils à la mère*, ne dévorassent tous les souvenirs dont vous retraciez la mémoire!

«Voilà le tableau de l'année que cette femme infortunée vient de parcourir. Et cependant elle existe encore; elle existe parce qu'elle aime, parce qu'elle est mère. Ah! sans ce lien sacré, pardonnerait-elle à ceux qui voudraient prolonger sa vie? Mais, lorsque malgré tant de maux, il vous reste encore du bien à faire, traînerez-vous du cachot au supplice cette intéressante victime? Regardez-la, cruels! non pour être désarmés par sa beauté; mais, si les pleurs l'ont flétrie, regardez-la pour contempler les traces d'une année de désespoir! Que vous faudrait-il de plus si elle était coupable? Et que doivent donc éprouver les cœurs certains de son innocence?

«Je reviens à vous, femmes immolées toutes dans une mère si tendre, immolées toutes par l'attentat qui serait commis sur la faiblesse par l'anéantissement de la pitié; c'en est fait de votre empire si la férocité règne, c'en est fait de votre destinée si vos pleurs coulent en vain! Défendez la reine par toutes les armes de la nature; allez chercher cet enfant, qui périra s'il faut qu'il perde celle qu'il a tant aimée; il sera bientôt aussi lui-même un objet importun, par l'inexprimable intérêt que tant de malheurs feront retomber sur sa tête; mais qu'il demande à genoux la grâce de sa mère; l'enfance peut prier, l'enfance s'ignore encore.

«Mais malheur au peuple qui aurait entendu ses cris en vain! Malheur au peuple qui ne serait ni juste ni généreux! Ce n'est pas à lui que la liberté serait réservée. L'espérance des nations, si longtemps attachée au destin de la

France, ne pourrait plus entrevoir dans l'avenir aucun événement réparateur de cette génération désolée.»

XXIV

Le neuf thermidor et la chute de Robespierre permirent à madame de Staël d'élever la voix. Ce fut alors pour la république modérée qu'elle écrivit ses réflexions sur la paix extérieure et sur la paix intérieure. Le premier de ces deux opuscules avait pour but de convaincre les puissances étrangères qu'il fallait pactiser avec la république française sous peine de l'irriter jusqu'à la frénésie et de lui faire révolutionner l'Europe. Le second avait pour objet de convaincre les partis intérieurs de la nécessité d'une conciliation dans la liberté mutuelle et légale sous peine d'éterniser l'anarchie et de recréer la tyrannie. La pensée dans ces deux écrits est d'un républicain sincère, le style est d'un grand publiciste. Ils replacèrent très-haut sur la scène politique la fille un moment oubliée de M. Necker. Les grandes voix de 89 et les grandes voix de la Gironde, Mirabeau, Barnave, madame Rolland, Vergniaud, André Chénier, s'étaient éteintes dans la mort naturelle ou dans la mort violente. Madame de Staël restait seule de ces deux partis pour rendre une parole énergique à la liberté modérée. Tout ce qui restait d'ennemis de l'anarchie et d'ennemis de la tyrannie fit écho à sa voix et se groupa autour d'elle. Elle revint à Paris occuper, dans le parti des républicains d'ordre, la place que madame Rolland égorgée par Robespierre avait occupée dans le parti des Girondins. Elle pouvait se flatter et elle se flatta de devenir à son tour l'âme invisible mais dominante d'une république dont elle inspirerait les conseils et dont elle dirigerait la main. Ce fut l'époque véritablement civique de sa vie.

XXV

Tous les hommes d'État, tous les écrivains, tous les orateurs sortis de la proscription, de l'ombre ou du silence après la terreur, se pressaient dans ses salons comme sous l'égide de la liberté retrouvée dans les ruines; elle contenait l'impatience des uns, elle modérait la réaction des autres, elle relevait le découragement, elle fortifiait la constance, elle réconciliait dans un patriotisme commun ceux que les factions avaient séparés pour le malheur de tous. Jamais son éloquence n'avait été si intarissable et si active; elle fut pendant quelques mois le seul orateur de la république. Sa tribune était partout où quelques hommes influents se réunissaient pour discuter les bases d'une constitution durable de la liberté. La littérature en ce moment était exclusivement politique; madame de Staël suivit d'autant plus naturellement ce courant qu'elle-même l'avait créé.

Son livre, sur l'*Influence des passions*, qu'elle publia alors, ajoute à sa renommée d'écrivain le caractère de moraliste. Ce livre, jugé aujourd'hui à distance avec le sang-froid de la critique, n'ajoute rien à sa véritable gloire. Le livre disserte au lieu d'émouvoir, il ne creuse pas assez profondément dans la nature de l'homme pour y découvrir des vérités nouvelles. C'est de l'esprit qui n'arrive pas jusqu'à la méditation, c'est de la métaphysique légère, c'est-à-dire ce qu'il y a de plus vain et de plus fastidieux en littérature, des axiomes sans solidité, de la pesanteur sans prix, de l'ennui sans compensation. L'âge de la philosophie n'était pas venu pour elle. Elle était loin des années où le cœur refroidi et la vanité corrigée par le malheur ne laissent à l'homme et à la femme que la faculté de l'analyser eux-mêmes. L'ambition d'être un chef de parti dans la république, la soif de la gloire, l'enivrement des applaudissements publics, et le besoin plus impérieux d'aimer et d'être aimée, troublaient trop son âme pour la laisser voir au fond d'elle-même.

XXVI

Le *dix-huit brumaire*, le coup d'État du général Bonaparte retournant l'armée contre la révolution, dissipa cruellement dans madame de Staël une partie de ses illusions. Elle fut étourdie comme tout le monde du coup, sans en sentir au premier moment toute la portée. C'était le reflux de toutes les choses refoulées par la philosophie du dix-huitième siècle; c'était le démenti donné le sabre à la main à toutes les aspirations de l'Europe; c'étaient toutes les réactions généreuses, politiques, sociales, incarnées dans un seul homme et venant forcer le siècle à balbutier effrontément la grande apostasie de la liberté de penser et de la liberté d'institution; c'était la représaille de la terreur par une autre terreur plus durable, parce qu'elle est plus modérée et plus disciplinée, la terreur des soldats au lieu de la terreur des bourreaux. Ce fut surtout le coup d'État contre la philosophie.

Madame de Staël n'y vit pendant les premiers mois que l'impatience d'un jeune héros contre des assemblées inertes ou orageuses, qui prenait la dictature au nom de son génie pour régulariser la république, anéantir les factions, grandir la patrie et donner à la pensée confuse du siècle l'unité d'un grand homme. Elle se flatta même que ce jeune génie s'inclinerait devant le sien, qu'elle acquerrait plus facilement sur ce dictateur l'ascendant qu'elle cherchait à se créer sur des chefs de factions multiples, qu'elle serait l'Aspasie française de ce futur Périclès.

Dans cette pensée, elle chercha avec anxiété les occasions de rencontrer le général Bonaparte et de l'éblouir par sa conversation. Elle afficha l'enthousiasme pour sa gloire. Il n'y avait, selon elle, que deux grands hommes dans la république, faits pour s'entendre et se compléter, elle et lui.

Elle était en effet à cette époque la plus haute supériorité intellectuelle et sociale de Paris, elle régnait sur les salons, elle maniait les esprits, elle tenait les fils des factions les plus diverses, elle donnait le ton aux opinions, elle pouvait populariser ou dépopulariser d'un mot le nouveau gouvernement. Ce fut une des audaces les plus soldatesques de Bonaparte, que de dédaigner ce concours ou cette opposition. Négliger madame de Staël était un coup d'État contre Paris plus dangereux peut-être que celui de Saint-Cloud, un coup d'État contre l'opinion, contre la popularité, contre la littérature, contre la conversation, contre les salons.

Mais, décidé à n'en appeler qu'aux baïonnettes d'une armée dont les chefs ne connaissaient pas même de nom la fille de M. Necker, il portait, dès le lendemain du 18 brumaire, ce défi aux puissances de la pensée: tel fut le caractère du gouvernement militaire sous les *Marius*, sous les *Sylla*, sous les *Césars* de Rome.

XXVII

Il est curieux d'étudier, dans les confidences intimes de madame de Staël à cette époque, l'étonnement et l'irritation dont elle fut saisie en s'apercevant de l'éloignement que le premier consul montrait en toute occasion pour elle. Il ne se contentait pas de la tenir à distance, il cherchait à l'humilier quand elle se présentait devant lui. Tout le monde connaît la brusquerie célèbre dont il repoussa ses avances à une des réceptions des Tuileries, où madame de Staël s'efforçait de s'attirer un mot ou un sourire d'encouragement du dictateur: *Quelle est à vos yeux la femme supérieure à toutes les femmes?* lui demanda-t-elle avec une évidente intention de s'attirer une adulation personnelle. «*Celle qui a eu le plus d'enfants,*» lui répondit sèchement Bonaparte, manifestant ainsi, avec une rudesse sans ménagement et sans pitié pour son interlocuteur, qu'elle était à ses yeux une créature hors de son rôle, et que la seule gloire de la femme était la gloire domestique de l'obscurité et de la fécondité, ces deux vertus du foyer de l'homme.

Ce mot juste, mais cruel, fit comprendre à madame de Staël qu'il n'y avait point de place pour sa renommée, encore moins pour son influence, sous le gouvernement d'un homme qui reléguait la femme la plus illustre de son sexe dans l'ombre, dans le silence et dans la maternité. Elle espéra cependant, contre toute espérance, amollir la rudesse du dictateur en lui faisant sentir le prix d'un talent comme le sien pour seconder ses plans politiques de régénération de la liberté et de la république. Elle se trompait encore: Bonaparte haïssait la liberté et la république de toute l'ambition qui l'emportait vers l'empire. Son antipathie contre madame de Staël tenait moins à la crainte qu'il avait de son génie qu'à sa haine contre la révolution française. Le nom de M. Necker lui en rappelait l'origine, les écrits de madame de Staël lui en rappelaient les doctrines.

Cette femme jeune, éloquente, populaire encore, était à ses yeux une idée survivante de 1789, qu'il était dangereux de laisser briller au cœur de la France si près de la servitude qu'il voulait sans voix. Il aurait accepté volontiers les services de madame de Staël esclave; mais le contraste de madame de Staël libre dans un pays asservi lui répugnait. Cette femme était à ses yeux une tribune à elle seule. Il ne voulait que le silence ou l'applaudissement; il s'en expliqua nettement avec ses frères, Joseph et Lucien Bonaparte, moins dédaigneux que lui des influences littéraires et des puissances morales sur l'opinion.

«Le plus grand grief de l'empereur Napoléon contre moi, dit-elle, c'est le respect dont j'ai toujours été pénétrée pour la véritable liberté. Ces sentiments m'ont été transmis comme un héritage, et je les ai adoptés dès que j'ai pu réfléchir sur les hautes pensées dont ils dérivent et sur belles actions qu'ils inspirent. Les scènes cruelles qui ont déshonoré la révolution française, n'étant que de la tyrannie sous des formes populaires, n'ont pu, ce me semble, faire aucun tort au culte de la liberté. L'on pourrait tout au plus s'en décourager pour la France; mais si ce pays avait le malheur de ne savoir posséder le plus noble des biens, il ne faudrait pas pour cela le proscrire sur la terre. Quand le soleil disparaît de l'horizon du pays du nord, les habitants de ces contrées ne blasphèment pas ses rayons qui luisent encore pour d'autres pays plus favorisés du ciel.

«Peu de temps après le 18 brumaire, il fut rapporté à Bonaparte que j'avais parlé dans ma société contre cette oppression naissante dont je pressentais les progrès aussi clairement que si l'avenir m'eût été révélé. Joseph Bonaparte, dont j'aimais l'esprit et la conversation, vint me voir et me dit: «Mon frère se plaint de vous. Pourquoi, m'a-t-il répété hier, pourquoi madame de Staël ne s'attache-t-elle pas à mon gouvernement? Qu'est-ce qu'elle veut? le payement du dépôt de son père? je l'ordonnerai: le séjour de Paris? je le lui permettrai. Enfin, qu'est-ce qu'elle veut?»—Mon Dieu! répliquai-je, «il ne s'agit pas de ce que je veux, mais de ce que je pense.» J'ignore si cette réponse lui a été rapportée, mais je suis bien sûre du moins que, s'il l'a sue, il n'y a attaché aucun sens; car il ne croit à la sincérité des opinions de personne, il considère la morale en tout genre comme une formule qui ne tire pas plus à conséquence que la fin d'une lettre; et, de même qu'après avoir assuré quelqu'un qu'on est son très-humble serviteur, il ne s'ensuit pas qu'il puisse rien exiger de vous, ainsi Bonaparte croit que lorsque quelqu'un dit qu'il aime la liberté, qu'il croit en Dieu, qu'il préfère sa conscience à son intérêt, c'est un homme qui se conforme à l'usage, qui suit la manière reçue pour expliquer ses prétentions ambitieuses ou ses calculs égoïstes. La seule espèce de créatures humaines qu'il ne comprenne pas bien, ce sont celles qui sont sincèrement attachées à une opinion, quelles qu'en puissent être les suites; Bonaparte considère de tels hommes comme des niais ou comme des marchands qui surfont, c'est-à-dire, qui veulent se vendre trop cher. Aussi, comme on le verra par la suite, ne s'est-il jamais trompé dans ce monde que sur les honnêtes gens, soit comme individus, soit surtout comme nations.»

LAMARTINE.

FIN DE L'ENTRETIEN CLII.

Typ. de Rouge frères, Dunon et Fresné, rue du Four-St-Germain, 43

CLIII[e] ENTRETIEN
MADAME DE STAËL
SUITE.

XXVIII

La guerre ouverte entre le dictateur et la femme de génie ne tarda pas à éclater; Bonaparte avait laissé subsister, dans le tribunat, une ombre de tribune libre, mais en corrompant les orateurs. Un de ces orateurs était *Benjamin Constant.* Ce nom tant de fois fait, défait et refait par les factions alternatives qu'il a servies et desservies tour à tour avec un talent plus effronté qu'éclatant, est retombé déjà dans l'indifférence, et il ne fut jamais qu'une gloire de parti. La liaison de Benjamin Constant avec madame de Staël fut le malheur de cette femme politique. Cet homme n'avait ni dans sa nature, ni dans son âme, ni dans son caractère, l'enthousiasme, l'énergie, la vertu publique, faits pour justifier un tel attachement. Son amitié abaissait au lieu de relever l'âme qui s'inspirait de lui. Né dans les rangs de l'aristocratie helvétique, élevé dans les préjugés et dans les intrigues des réfugiés français en Allemagne pendant l'émigration, familier du duc de Brunswick, généralissime de l'armée prussienne en 1792; rédacteur présumé du fameux manifeste de la coalition contre la France[1], rentré en France grâce à un nom cosmopolite, après la terreur; zélateur ardent des modérés contre les terroristes, publiciste attaché au Directoire, auteur, après le 18 fructidor, d'une adresse aux Français pour rappeler les terroristes au secours du coup d'État contre les royalistes, nommé tribun après la constitution nouvelle pour contrôler le gouvernement des consuls, lié avec les aristocrates par sa naissance, avec les républicains par ses services, avec les consuls par ses espérances, avec les hommes de lettres par sa littérature, avec les révolutionnaires par la tribune où rien ne résonne mieux que l'opposition, affamé de bruit, nécessiteux de fortune, sceptique d'idées, homme à tout comprendre, à tout dire et à tout contredire, il avait, par le charme de sa conversation, séduit madame de Staël. L'esprit de Benjamin Constant, étincelant dans un salon, lui réverbérait le sien. Elle avait pris cet éblouissement pour de la lumière et ce phosphore pour de la chaleur. L'extérieur de Benjamin Constant, mélange d'élégance française et de profondeur germanique, sa taille haute, frêle et souple, son visage oblong, son teint pâle, ses cheveux blonds et soyeux déroulés en ondes sur ses épaules, on ne sait quoi de mystique ou de satanique dans le regard, qui rappelait à volonté un Méphistophélès politique ou un Werther de la liberté, avaient complété la fascination.

Madame de Staël avait livré son amitié politique sans être sûre d'avoir livré toute son estime. L'amitié passionnée d'une telle femme était pour Benjamin

Constant une trop haute fortune pour qu'il n'en décorât pas sa vie. Cette amitié persuadait aux autres son génie. L'ascendant qu'il exerçait sur son amie lui donnait deux forces pour une: il était pressé d'en user et d'en abuser pour sa gloire, il la précipitait plus vite et plus loin dans l'opposition prématurée au Consulat qu'elle ne l'aurait voulu. Il jugeait, comme il avait tout jugé, trop légèrement, cette nouvelle phase de la révolution; il voulait prendre les devants sur l'opinion, se faire craindre, peut-être apprécier; il méditait un éclat de tribune, dont le retentissement rejaillirait sur son amie et ferait cesser les ménagements que le gouvernement avait encore pour elle. Madame de Staël s'enorgueillissait et tremblait à la fois de cette rupture.

Écoutons-la raconter cette scène d'intérieur, qui précéda de quelques heures l'exil et les agitations de toute sa vie.

XXIX

«Quelques tribuns voulaient établir dans leur assemblée une opposition analogue à celle d'Angleterre et prendre au sérieux la Constitution, comme si les droits qu'elle paraissait assurer avaient eu rien de réel, et que la division prétendue des corps de l'État n'eût pas été une simple affaire d'étiquette, une distinction entre les diverses antichambres du consul dans lesquelles des magistrats de différents noms pouvaient se tenir. Je voyais avec plaisir, je l'avoue, le petit nombre des tribuns qui ne voulaient point rivaliser de complaisance avec les conseillers d'État; je croyais surtout que ceux qui précédemment s'étaient laissé emporter trop loin dans leur amour pour la république, se devaient de rester fidèles à leur opinion, quand elle était devenue la plus faible et la plus menacée.

«L'un de ces tribuns, ami de la liberté et doué d'un des esprits les plus remarquables que la nature ait départi à aucun homme, M. Benjamin Constant, me consulta sur un discours qu'il se proposait de faire pour signaler l'aurore de la tyrannie. Je l'y encourageai de toute la force de ma conscience. Néanmoins, comme on savait qu'il était de mes amis intimes, je ne pus m'empêcher de craindre ce qu'il pourrait m'en arriver. J'étais vulnérable par mon goût pour la société. Montaigne a dit jadis: *Je suis Français par Paris*, et s'il pensait ainsi il y a trois siècles, que serait-ce depuis que l'on a vu réunies tant de personnes d'esprit dans une même ville, et tant de personnes accoutumées à se servir de cet esprit pour les plaisirs de la conversation? Le fantôme de l'ennui m'a toujours poursuivie; c'est par la terreur qu'il me cause que j'aurais été capable de plier devant la tyrannie, si l'exemple de mon père et son sang qui coule dans mes veines ne l'emportaient pas sur cette faiblesse. Quoi qu'il en soit, Bonaparte la connaissait très-bien; il discerne promptement le mauvais côté de chacun, car c'est par leurs défauts qu'il soumet les hommes à son empire. Il joint à la puissance dont il menace, aux trésors qu'il fait espérer, la dispensation de l'ennui, et c'est aussi une terreur pour les Français. Le séjour à quarante lieues de la capitale, en contraste avec tous les avantages que réunit la plus agréable ville du monde, fait faiblir à la longue la plupart des exilés, habitués dès leur enfance aux charmes de la vie de Paris.

«La veille du jour où Benjamin Constant devait prononcer son discours, j'avais chez moi Lucien Bonaparte, MM... et plusieurs autres encore, dont la conversation, dans des degrés différents, a cet intérêt toujours nouveau qu'excitent et la force des idées et la grâce de l'expression. Chacun, Lucien excepté, lassé d'avoir été proscrit par le Directoire, se préparait à servir le nouveau gouvernement, en n'exigeant de lui que de bien récompenser le dévouement à son pouvoir. Benjamin Constant s'approche de moi et me dit tout bas: «Voilà votre salon rempli de personnes qui vous plaisent. Si je parle, demain il sera désert; pensez-y.» «Il faut suivre sa conviction,» lui répondis-je. L'exaltation m'inspira cette réponse; mais, je l'avoue, si j'avais prévu ce que j'ai souffert à dater de ce jour, je n'aurais pas eu la force de refuser l'offre que M. Constant me faisait de renoncer à se mettre en évidence pour ne pas me compromettre.

«Ce n'est rien aujourd'hui, sous le rapport de l'opinion, que d'encourir la disgrâce de Bonaparte: il peut vous faire périr, mais il ne saurait entamer votre considération. Alors, au contraire, la nation n'était point éclairée sur ses intentions tyranniques; et, comme chacun de ceux qui avaient souffert de la révolution espérait de lui le retour d'un frère ou d'un ami, ou la restitution de sa fortune, on accablait du nom de Jacobin quiconque osait lui résister, et la bonne compagnie se retirait de vous en même temps que la faveur du gouvernement: situation insupportable, surtout pour une femme, et dont personne ne peut connaître les pointes aiguës sans l'avoir éprouvée.

«Le jour où le signal de l'opposition fut donné dans le tribunat par l'un de mes amis, je devais réunir chez moi plusieurs personnes dont la société me plaisait beaucoup, mais qui tenaient toutes au gouvernement nouveau. Je reçus dix billets d'excuse à cinq heures; je supportai assez bien le premier, le second; mais, à mesure que ces billets se succédaient, je commençais à me troubler. Vainement j'en appelais à ma conscience, qui m'avait conseillé de renoncer à tous les agréments attachés à la faveur de Bonaparte; tant d'honnêtes gens me blâmaient, que je ne savais pas m'appuyer assez ferme sur ma propre manière de voir. Bonaparte n'avait encore rien fait de précisément coupable; beaucoup de gens assuraient qu'il préservait la France de l'anarchie; enfin, si dans ce moment il m'avait fait dire qu'il se raccommodait avec moi, j'en aurais eu plutôt de la joie; mais il ne veut jamais se rapprocher de quelqu'un sans en exiger une bassesse, et, pour déterminer à cette bassesse, il entre d'ordinaire dans des fureurs de commande qui font une telle peur qu'on lui cède tout. Je ne veux pas dire par là que Bonaparte ne soit pas vraiment emporté; ce qui n'est pas calcul en lui est de la haine, et la haine s'exprime d'ordinaire par la colère.

«Quand il convint au premier consul de faire éclater son humeur contre moi, il gronda publiquement son frère aîné, Joseph Bonaparte, sur ce qu'il venait dans ma maison. Joseph se crut obligé de n'y pas mettre les pieds pendant quelques semaines, et son exemple fut le signal que suivirent les trois quarts des personnes que je connaissais. Ceux qui avaient été proscrits le 18 fructidor prétendaient qu'à cette époque j'avais eu le tort de recommander à Barras M. de Talleyrand pour le ministère des affaires étrangères, et ils passaient leur vie chez ce même M. de Talleyrand qu'ils m'accusaient d'avoir servi. Tous ceux qui se conduisaient mal envers moi se gardaient bien de dire qu'ils obéissaient à la crainte de déplaire au premier consul; mais ils inventaient chaque jour un nouveau prétexte qui pût me nuire, exerçant toute l'énergie de leurs opinions politiques contre une femme persécutée et sans défense, et se prosternant aux pieds des plus vils Jacobins, dès que le premier consul les avait régénérés par le baptême de la faveur.

«Le ministre de la police, Fouché, me fit demander pour me dire que le premier consul me soupçonnait d'avoir excité celui de mes amis qui avait parlé dans le tribunal. Je lui répondis, ce qui assurément était vrai, que M. Constant était un homme d'un esprit trop supérieur pour qu'on pût s'en prendre à une femme de ses opinions, et que d'ailleurs le discours dont il s'agissait ne contenait absolument que des réflexions sur l'indépendance dont toute assemblée délibérante doit jouir, et qu'il n'y avait pas une parole qui dût blesser le premier consul personnellement. Le ministre en convint. J'ajoutai encore quelques mots sur le respect qu'on devait à la liberté des opinions dans un corps législatif, mais il me fut aisé de m'apercevoir qu'il ne s'intéressait guère à ces considérations générales; il savait déjà très-bien que, sous l'autorité de l'homme qu'il voulait servir, il ne serait plus question de principes, et il s'arrangeait en conséquence. Mais, comme c'est un homme d'un esprit transcendant en fait de révolution, il avait déjà pour système de faire le moins de mal possible, la nécessité du but admise. Sa conduite précédente ne pouvait en rien annoncer de la moralité, et souvent il parlait de la vertu comme d'un conte de vieille femme. Néanmoins une sagacité remarquable le portait à choisir le bien comme une chose raisonnable, et ses lumières lui faisaient parfois trouver ce que la conscience aurait inspiré à d'autres. Il me conseilla d'aller à la campagne et m'assura qu'en peu de jours tout serait apaisé. Mais, à mon retour, il s'en fallait de beaucoup que cela fût ainsi.»

XXX

La colère du premier consul adoucie par le ministre n'éclata pas encore sur l'amie de Benjamin Constant. Madame de Staël employa M. Necker, son père, pour détourner ou suspendre le coup qui la menaçait. M. Necker, à la sollicitation de sa fille, se présenta à Bonaparte pendant le séjour que le consul fit à Genève, en se préparant le passage des Alpes, avant la campagne d'Italie. L'entretien du vieux ministre et du jeune dictateur fut long et dut être intéressant: c'était la rencontre de deux hommes, dont l'un avait perdu une monarchie, dont l'autre reconstruisait tout ce que le premier avait démoli. On sait seulement que le premier consul, en sortant de cet entretien, témoigna son étonnement du vide d'idées qu'il avait reconnu sous l'emphase de ce caractère. La fortune et la popularité avaient évidemment porté M. Necker à un poste trop haut pour ses facultés natives. Depuis qu'on pouvait le mesurer à terre, il ne restait de lui qu'un honnête homme, un philosophe ténébreux, un fastidieux écrivain, la ruine d'une illusion d'homme d'État. Mais il en restait un bon père, idolâtre de sa fille. Il implora pour cette fille l'indulgence du consul, et l'autorisation de résider à Paris, où ses talents, dit M. Necker, ne pourraient que décorer un gouvernement qui s'annonçait comme une renaissance des lettres. Bonaparte accorda cette faveur aux prières de M. Necker. Madame de Staël disparut à ses yeux dans la gloire de la campagne d'Italie: elle passa l'hiver de 1800 à 1801 sans être recherchée ni inquiétée par le gouvernement; elle s'obstinait néanmoins encore à rencontrer les occasions de frapper l'imagination du premier consul; elle en fait l'aveu dans une page de ses mémoires.

«Je fus invitée, dit-elle, chez le général Berthier, à une fête où le premier consul devait se trouver. Comme je savais qu'il s'exprimait très-mal sur mon compte, il me vint dans l'esprit qu'il m'adresserait peut-être quelques-unes de ces choses grossières qu'il se plaisait souvent à dire aux femmes, même à celles qui lui faisaient la cour, et j'écrivis à tout hasard, avant de me rendre à la fête, les diverses réponses fières et piquantes que je pourrais lui faire, selon les choses qu'il me dirait. Je ne voulais pas être prise au dépourvu, s'il se permettait de m'offenser, car c'eût été manquer encore plus de caractère que d'esprit; et, comme nul ne peut se promettre de n'être pas troublé en présence d'un tel homme, je m'étais préparée d'avance à le braver. Heureusement cela fut inutile: il ne m'adressa que la question la plus commune du monde. Il en arriva de même à ceux des opposants auxquels il croyait la possibilité de lui répondre. En tout genre, il n'attaque jamais que quand il se sent de beaucoup le plus fort. Pendant le souper, le premier consul était debout derrière la chaise de madame Bonaparte et se balançait sur un pied et sur l'autre, à la manière des princes de la maison de Bourbon. Je fis remarquer à mon voisin cette vocation pour la royauté, déjà si manifeste.»

«J'allai, suivant mon heureuse coutume, passer l'été auprès de mon père. Je le trouvai très-indigné de la marche que suivaient les affaires, et, comme il avait toute sa vie autant aimé la vraie liberté que détesté l'anarchie populaire, il se sentait le désir d'écrire contre la tyrannie d'un seul, après avoir combattu si longtemps celle de la multitude. Mon père aimait la gloire, et, quelque sage que fût son caractère, l'aventureux en tout genre ne lui déplaisait pas, quand il fallait s'y exposer pour mériter l'estime publique. Je sentais très-bien les dangers que me ferait courir un ouvrage de mon père qui déplairait au premier consul; mais je ne pouvais me résoudre à étouffer ce chant du cygne, qui devait se faire entendre encore sur le tombeau de la liberté française. J'encourageai donc mon père à travailler, et nous renvoyâmes à l'année suivante la question de savoir s'il ferait publier ce qu'il écrivait.»

XXXI

Le premier consul voyait avec un juste ombrage les liaisons de madame de Staël à Paris avec un homme ambigu qu'elle cherchait à lui susciter pour rival. Cet homme était le général Bernadotte, depuis roi de Suède, qui caressait alors les restes du parti jacobin. Bernadotte, spirituel et ambitieux, était propre à briguer avec la même indifférence une dictature populaire ou un trône; il n'avait cherché dans la révolution qu'une fortune, également prêt à la saisir dans une contre-révolution.

Cette liaison de madame de Staël avec un homme suspect au premier consul fut la véritable cause de son exil.

«Je partis pour Coppet dans ces entrefaites, dit-elle, et j'arrivai chez mon père dans un état très-pénible d'accablement et d'anxiété. Des lettres de Paris m'apprirent qu'après mon départ le premier consul s'était exprimé très-vivement contre mes rapports de société avec le général Bernadotte. Tout annonçait qu'il était résolu à m'en punir; mais il s'arrêta devant l'idée de frapper le général Bernadotte, soit qu'il eût besoin de ses talents militaires, soit que les liens de famille le retinssent, soit que la popularité de ce général dans l'armée française fût plus grande que celle des autres, soit enfin qu'un certain charme dans les manières de Bernadotte rendît difficile, même à Bonaparte, d'être tout à fait son ennemi.

«Il se formait alors autour du général Bernadotte un parti de généraux et de sénateurs qui voulaient savoir de lui s'il n'y avait pas quelques résolutions à prendre contre l'usurpation qui s'approchait à grands pas. Il proposa divers plans qui se fondaient tous sur une mesure législative quelconque, regardant tout autre moyen comme contraire à ses principes. Mais pour cette mesure il fallait une délibération au moins de quelques membres du sénat, et pas un d'eux n'osait souscrire un tel acte. Pendant que toute cette négociation très-dangereuse se conduisait, je voyais souvent le général Bernadotte et ses amis;

c'était plus qu'il n'en fallait pour me perdre, si leurs desseins étaient découverts. Bonaparte disait que l'on sortait toujours de chez moi moins attaché à son gouvernement.»

On voit dans ces aveux que madame de Staël, accoutumée à l'influence politique depuis le salon de son père et depuis ses liaisons avec MM. de Narbonne, Lafayette, Benjamin Constant, s'obstinait imprudemment à un grand rôle dans la république et fomentait dans l'âme de Bernadotte une rivalité qui ne pouvait être pardonnée par Bonaparte. Mais cette rivalité devait retomber sur la femme assez téméraire pour y attacher ses espérances. Bonaparte était un parti, Bernadotte n'était qu'une intrigue.

XXXII

Le premier consul fit insinuer à madame de Staël qu'elle ferait bien de ne pas revenir à Paris. Cette insinuation fut un coup de foudre pour une femme qui avait placé depuis son enfance le foyer de sa gloire, de son importance et de ses sentiments dans la capitale de la France. Paris était la patrie de ses talents, de son génie, de ses affections, de ses vanités, de ses ambitions; la France était son public; l'univers n'existait pour elle qu'à Paris. Cette faiblesse puérile et presque maladive de son âme lui faisait envisager comme le comble de l'infortune l'éloignement de ce centre de toutes ses pensées. La grandeur de son esprit ne la défendait pas contre la petitesse de cette terreur de l'exil. C'est la paille dans son caractère; c'est par là qu'il faiblit et qu'il se brisa plus d'une fois dans sa vie. Certes, pour toute autre âme que la sienne, ce n'était pas une bien tragique rigueur du sort qu'une résidence plus ou moins contrainte dans le château de sa famille, auprès d'un père adoré et d'enfants chéris, au sein de la plus pittoresque contrée de l'Europe, au bord du lac qui roule autant de poésies que de vagues, au pied des jardins de Coppet, entre Lausanne et Genève, deux villes habitées et visitées par l'élite des voyageurs lettrés ou illustres de toute l'Europe; consolée dans sa propre patrie par toutes les délices de l'opulence et par tous les charmes d'une grande hospitalité! Ajoutez à l'agrément de cette résidence la liberté de parcourir et d'habiter à son gré tout l'univers, excepté l'étroite enceinte de Paris.

Une telle proscription, qui fait sourire plus que frémir, paraîtrait le suprême bonheur à la plupart des hommes sensés; pour madame de Staël, c'était la suprême adversité. Elle en détournait sa pensée comme elle l'aurait détournée de l'échafaud. Est-ce effémination d'une âme trop accoutumée dès le berceau aux caresses de la destinée? Est-ce petitesse d'un esprit si vaste d'ailleurs, mais qui s'est localisé dans les habitudes d'une seule ville? Est-ce besoin incessant de l'écho et de l'applaudissement de ces salons qui lui renvoyaient tous les soirs la gloire et l'enthousiasme pour chaque phrase? Est-ce regret d'une actrice descendue de la scène avant l'âge, et qui ne peut renoncer sans désespoir aux rôles qu'elle s'était dessinés pour sa vie? tout cela à la fois peut-être; mais rien de cela n'est assez grand pour n'être pas dédaigné au besoin par une grande âme, et pour motiver l'éternelle désolation qui gémit depuis ce jour dans les écrits et dans les sanglots de madame de Staël. Il est impossible de ne pas soupçonner un plus sérieux motif à une telle douleur. Ce motif non avoué ne peut être qu'une grande ambition irrémédiablement déçue par la rigueur du premier consul.

Depuis son enfance jusqu'à la *terreur*, depuis le 9 thermidor jusqu'au consulat, madame de Staël avait aspiré, par l'éloquence et par l'influence sur les hommes marquants, à l'action politique. Habituée pendant dix ans à gouverner l'esprit de son père qui gouvernait la France, le gouvernement était devenu un besoin pour elle; elle l'avait repris sous les Girondins, elle l'avait perdu sous les Jacobins, elle l'avait recouvré sous le Directoire, elle avait espéré le perpétuer sous le Consulat; elle le cherchait de nouveau dans une conspiration nouvelle avec les Jacobins et avec Bernadotte. L'éloigner de Paris, c'était la destituer à jamais de toute influence sur le gouvernement; l'absence la détrônait, voilà pourquoi elle la redoutait à l'égal de la mort. L'exil, il est vrai, lui laissait le génie et la gloire des lettres; on ne pouvait exiler sa pensée; mais la gloire des lettres n'était que la moitié de son existence. Elle voulait régner, on la laissait seulement briller. C'est là, selon nous, le secret de cette douleur sans proportions et sans bornes, dont l'expression dans ses mémoires excite presque la pitié à force d'exagération.

XXXIII

Elle parut se résigner néanmoins à la seule célébrité littéraire par la publication du roman de *Delphine*, celle de ses œuvres qui respire le plus de passion. L'impression de la jeunesse de la femme s'y fait sentir plus que dans les autres livres, c'est une réminiscence toute chaude encore de sentiments mal éteints. L'intérêt, quoique allongé par des dissertations étrangères au sujet, mais analogues au temps comme dans *la Nouvelle Héloïse* de J. J. Rousseau, y est entraînant. Le style égale souvent celui du Génevois, son modèle et son maître.

Le succès du livre fut immense, le bruit s'accrut de toutes les critiques acharnées dont les hommes de lettres complaisants du gouvernement nouveau s'efforcèrent de dénigrer le livre et l'auteur: on l'accusa de corrompre les mœurs que le consulat voulait épurer par sa police plus que par ses exemples. L'accusation n'avait ni fondement, ni prétexte: le livre triompha de l'opposition, et madame de Staël, qui n'avait signalé jusque-là que son génie de controverse et d'éloquence, signala sa puissance dans l'expression de la passion. Nulle part elle ne fut plus femme que dans *Delphine*; elle ne perdit pas un enthousiasme, elle conquit des émotions. Elle méditait dès ce moment

Corinne, son œuvre la plus lyrique, où elle voulait fondre ensemble l'émotion et l'enthousiasme pour éblouir à la fois l'imagination par le génie et pénétrer le cœur par l'amour.

XXXIV

Protégée par le succès de *Delphine*, elle crut pouvoir se rapprocher assez de Paris pour entendre le bruit de sa gloire. Regnault de Saint-Jean d'Angély qui, tout en servant la tyrannie, ne la concevait contre les femmes que comme une lâcheté, lui offrit l'asile d'une de ses maisons de campagne à quelques lieues de Paris. Elle n'accepta pas l'hospitalité, de peur de compromettre l'hôte. Elle emprunta le toit de madame de la Tour qu'elle ne connaissait que par des amis communs.

«J'arrivai donc dans la campagne d'une personne que je connaissais à peine, au milieu d'une société qui m'était tout à fait étrangère, et portant dans le cœur un chagrin cuisant que je ne voulais pas laisser voir. La nuit, seule avec une femme dévouée depuis plusieurs années à mon service, j'écoutais à la fenêtre si nous n'entendrions point les pas d'un gendarme à cheval; le jour, j'essayais d'être aimable pour cacher ma situation. J'écrivis de cette campagne à Joseph Bonaparte une lettre qui exprimait avec vérité toute ma tristesse. Une retraite à dix lieues de Paris était l'unique objet de mon ambition, et je sentais avec désespoir que, si j'étais une fois exilée, ce serait pour longtemps, peut-être pour toujours. Joseph et son frère Lucien firent généreusement tous leurs efforts pour me sauver, et l'on va voir qu'ils ne furent pas les seuls.

«Madame Récamier, cette femme si célèbre pour sa figure, et dont le caractère est exprimé par sa beauté même, me fit proposer de venir demeurer à sa campagne, à Saint-Brice, à deux lieues de Paris. J'acceptai, car je ne savais pas alors que je pouvais nuire à une personne si étrangère à la politique, je la croyais à l'abri de tout, malgré la générosité de son caractère. La société la plus agréable se réunissait chez elle, et je jouissais là, pour la dernière fois, de tout ce que j'allais quitter.»

Le silence du gouvernement lui fit espérer sa tolérance. Elle quitta la maison de madame Récamier pour revenir avec une pleine sécurité à son premier asile. Cette sécurité n'était que le sommeil de la tyrannie. Elle raconte ainsi son lugubre réveil.

XXXV

«J'étais à table avec trois de mes amis, dans une salle d'où l'on voyait le grand chemin et la porte d'entrée. C'était à la fin de septembre. À quatre heures, un homme en habit gris, à cheval, s'arrête à la grille et sonne; je fus certaine de mon sort. Il me fit demander; je le reçus dans le jardin. En avançant vers lui, le parfum des fleurs et la beauté du soleil me frappèrent. Les sensations qui nous viennent par les combinaisons de la société sont si différentes de celles de la nature! Cet homme me dit qu'il était le commandant de la gendarmerie de Versailles, mais qu'on lui avait ordonné de ne pas mettre son uniforme dans la crainte de m'effrayer; il me montra une lettre signée de Bonaparte, qui portait l'ordre de m'éloigner à quarante lieues de Paris, et enjoignait de me faire partir dans les vingt-quatre heures en me traitant cependant avec tous les égards dus à une femme d'un nom connu. Il prétendait que j'étais étrangère, et, comme telle, soumise à la police. Cet égard pour la liberté individuelle ne dura pas longtemps, et bientôt après moi d'autres Français et d'autres Françaises furent exilés sans aucune forme de procès. Je répondis à l'officier de gendarmerie que partir dans vingt-quatre heures convenait à des conscrits, mais non pas à une femme et à des enfants, et en conséquence je lui proposai de m'accompagner à Paris, où j'avais besoin de passer trois jours pour faire les arrangements nécessaires à mon voyage. Je montai donc dans ma voiture avec mes enfants et cet officier, qu'on avait choisi comme le plus littéraire des gendarmes. En effet, il me fit des compliments sur mes écrits. «Vous voyez, lui dis-je, monsieur, où cela mène, d'être une femme d'esprit; déconseillez-le, je vous prie, aux personnes de votre famille, si vous en avez l'occasion.» J'essayais de me monter par la fierté, mais je sentais la griffe dans mon cœur.

«Je m'arrêtai quelques instants chez madame Récamier; j'y trouvai le général Junot, qui, par dévouement pour elle, promit d'aller parler le lendemain au premier consul. Il le fit en effet avec la plus grande chaleur. On croirait qu'un homme si utile par son ardeur militaire à la puissance de Bonaparte devait avoir sur lui le crédit de le faire épargner une femme; mais les généraux de Bonaparte, tout en obtenant de lui des grâces sans nombre pour eux-mêmes, n'ont aucun crédit. Quand ils demandent de l'argent ou des places, Bonaparte trouve cela convenable; ils sont dans le sens de son pouvoir, puisqu'ils se mettent dans sa dépendance; mais si, ce qui leur arrive rarement, ils voulaient défendre des infortunés, ou s'opposer à quelque injustice, on leur ferait sentir bien vite qu'ils ne sont que des bras chargés de maintenir l'esclavage en s'y soutenant eux-mêmes.

«J'arrive à Paris dans une maison nouvellement louée, et que je n'avais pas encore habitée; je l'avais choisie avec soin dans le quartier et l'exposition qui me plaisaient; et déjà, dans mon imagination, je m'étais établie dans le salon avec quelques amis dont l'entretien est, selon moi, le plus grand plaisir dont l'esprit humain puisse jouir. Je n'entrais dans cette maison qu'avec la certitude d'en sortir, et je passais les nuits à parcourir ces appartements dans lesquels je regrettais encore plus de bonheur que je n'en avais espéré. Mon gendarme revenait chaque matin, comme dans le conte de Barbe-Bleue, me presser de partir le lendemain, et chaque fois j'avais la faiblesse de demander encore un jour... Mes amis venaient dîner avec moi, et quelquefois nous étions gais, comme pour épuiser la coupe de la tristesse, en nous montrant les uns pour les autres le plus aimables qu'il nous était possible, au moment de nous quitter pour si longtemps. Ils me disaient que cet homme, qui venait chaque jour me sommer de partir, leur rappelait ces temps de la terreur pendant lesquels les gendarmes venaient demander leurs victimes.

«On s'étonnera peut-être que je compare l'exil à la mort; mais de grands hommes de l'antiquité et des temps modernes ont succombé à cette peine. On rencontre plus de braves contre l'échafaud que contre la perte de la patrie. Dans tous les codes des lois, le bannissement perpétuel est considéré comme une des peines les plus sévères; et le caprice d'un homme inflige en France, en se jouant, ce que des juges consciencieux n'imposent qu'à regret aux criminels! Des circonstances particulières m'offraient un asile et des ressources de fortune dans la patrie de mes parents, la Suisse; j'étais à cet égard moins à plaindre qu'un autre, et néanmoins j'ai cruellement souffert. Je ne serai donc point inutile au monde, en signalant tout ce qui doit porter à ne laisser jamais aux souverains le droit arbitraire de l'exil. Nul député, nul écrivain n'exprimera librement sa pensée s'il peut être banni quand sa franchise aura déplu; nul homme n'osera parler avec sincérité, s'il peut lui en coûter le bonheur de sa famille entière. Les femmes surtout, qui sont destinées à soutenir et à récompenser l'enthousiasme, tâcheront d'étouffer en elles les sentiments généreux, s'il doit en résulter, ou qu'elles soient enlevées aux objets de leur tendresse, ou qu'ils leur sacrifient leur existence en les suivant dans l'exil.»

XXXVI

On ne peut s'empêcher de s'étonner et cependant de s'émouvoir des angoisses de cette femme, à qui le monde est ouvert, que sa maison, son père, ses enfants, sa patrie attendent, et qui se cramponne aux portes de Paris, comme si la terre et la vie allaient lui échapper avec l'horizon brumeux de cette ville! Elle part enfin pour Berlin, avec Benjamin Constant; elle y est accueillie par la belle reine de Prusse et par le prince Louis de Prusse, dont le sort était de succomber bientôt, l'une sous les insultes, l'autre sous le fer de Napoléon. La nouvelle du meurtre du duc d'Enghien lui arriva à Berlin; sa haine contre le meurtrier s'en réjouit autant que sa pitié s'en affligea pour la victime. C'était enfin un crime non-seulement contre la politique, mais contre la nature, à détester dans son persécuteur. On voit à l'accent du récit qu'elle fait de cet événement, dans son livre *Dix années d'exil*, qu'elle éprouva quelque chose de semblable à ce qu'éprouva Agrippine à la première révélation de l'inhumanité de son fils, une consternation mêlée de joie tragique, parce qu'elle avait enfin le droit de haïr celui qu'elle craignait.

«Je demeurais, dit-elle, à Berlin, sur le quai de la Sprée, et mon appartement était au rez-de-chaussée. Un matin, à huit heures, on m'éveilla pour me dire que le prince Louis-Ferdinand était à cheval sous mes fenêtres, et me demandait de venir lui parler. Très-étonnée de cette visite si matinale, je me hâtai de me lever pour aller vers lui. Il avait singulièrement bonne grâce à cheval, et son émotion ajoutait encore à la noblesse de sa figure. «Savez-vous, me dit-il, que le duc d'Enghien a été enlevé sur le territoire de Baden, livré à une commission militaire, et fusillé vingt-quatre heures après son arrivée à Paris?»—«Quelle folie! lui répondis-je; ne voyez-vous pas que ce sont les ennemis de la France qui ont fait circuler ce bruit?» En effet, je l'avoue, ma haine, quelque forte qu'elle fût contre Bonaparte, n'allait pas jusqu'à me faire croire à la possibilité d'un tel forfait. «Puisque vous doutez de ce que je vous dis, me répondit le prince Louis, je vais vous envoyer le *Moniteur*, dans lequel vous lirez le jugement.»

«Il partit à ces mots, et l'expression de sa physionomie présageait la vengeance ou la mort. Un quart d'heure après, j'eus entre mes mains ce *Moniteur* du 21 mars (30 pluviôse), qui contenait un arrêt de mort, prononcé par la commission militaire séant à Vincennes contre *le nommé Louis d'Enghien*! C'est ainsi que des Français désignaient le petit-fils des héros qui ont fait la gloire de leur patrie. Quand on abjurerait tous les préjugés d'illustre naissance que le retour des formes monarchiques devait nécessairement rappeler, pourrait-on blasphémer ainsi les souvenirs de la bataille de Lens et de celle de Rocroi? Ce Bonaparte qui en a gagné, des batailles! ne sait pas même les respecter; il n'y a ni passé ni avenir pour lui; son âme impérieuse et méprisante ne veut rien reconnaître de sacré pour l'opinion; il n'admet le respect que pour la force existante. Le prince Louis m'écrivait en commençant son billet par ces mots: «Le nommé Louis de Prusse fait demander à Madame de Staël, etc.» Il sentait l'injure faite au sang royal dont il sortait, au souvenir des héros parmi lesquels il brûlait de se placer. Comment, après cette horrible action, un seul roi de l'Europe a-t-il pu se lier avec un tel homme? La nécessité? dira-t-on. Il y a un sanctuaire de l'âme où jamais son empire ne doit pénétrer; s'il n'en était pas ainsi, que serait la vertu sur la terre? un amusement libéral qui ne conviendrait qu'aux paisibles loisirs des hommes privés.

«Une personne de ma connaissance m'a raconté que peu de jours après la mort du duc d'Enghien elle alla se promener autour du donjon de Vincennes. La terre encore fraîche marquait la place où il avait été enseveli. Des enfants jouaient aux petits palets sur ce tertre de gazon, seul monument pour de telles cendres. Un vieux invalide, à cheveux blancs, assis non loin de là, était resté quelque temps à contempler ces enfants; enfin, il se leva, et, les prenant par la main, il leur dit, en versant quelques pleurs: «Ne jouez pas là, mes enfants, je vous en prie.» Ces larmes furent tous les honneurs qu'on rendit au descendant du grand Condé, et la terre n'en porta pas longtemps l'empreinte.

. . . .
. . . .

«Entre l'ordre de l'enlever et celui de le faire périr, plus de huit jours s'étaient écoulés, et Bonaparte commanda le supplice du duc d'Enghien longtemps d'avance, aussi tranquillement qu'il a depuis sacrifié des millions d'hommes à ses ambitieux caprices.

«On se demande maintenant quels ont été les motifs de cette terrible action, et je crois facile de les démêler. D'abord Bonaparte voulait rassurer le parti révolutionnaire, en contractant avec lui l'alliance du sang. Un ancien Jacobin s'écria, en apprenant cette nouvelle: «Tant mieux! le général Bonaparte s'est fait de la Convention.» Pendant longtemps, les Jacobins voulaient qu'un homme eût voté la mort du roi pour être premier magistrat de la République: c'était ce qu'ils appelaient avoir donné des gages à la révolution. Bonaparte remplissait cette condition du crime, mise à la place de la condition de propriété exigée dans d'autres pays; il donnait la certitude que jamais il ne servirait les Bourbons. Ainsi ceux de leur parti qui s'attachaient au sien, brûlaient leurs vaisseaux *sans retour.*

«À la veille de se faire couronner par les mêmes hommes qui avaient proscrit la royauté, de rétablir une noblesse par les fauteurs de l'égalité, il crut nécessaire de les rassurer par l'affreuse garantie de l'assassinat d'un Bourbon. Dans la conspiration de Pichegru et de Moreau, Bonaparte savait que les républicains et les royalistes s'étaient réunis contre lui; cette étrange coalition, dont la haine qu'il inspire était le nœud, l'avait étonné. Plusieurs hommes, qui tenaient des places de lui, étaient désignés pour servir la révolution qui devait briser son pouvoir, et il lui importait que désormais tous ses agents se crussent perdus sans ressources, si leur maître était renversé; enfin, surtout, ce qu'il voulait, au moment de saisir la couronne, c'était d'inspirer une telle terreur que personne ne sût lui résister. Il viola tout dans une seule action: le droit des gens européens, la constitution telle qu'elle existait encore, la pudeur publique, l'humanité, la religion. Il n'y avait rien au delà de cette action; donc on pouvait tout craindre de celui qui l'avait commise. On crut pendant quelque temps en France que le meurtre du duc d'Enghien était le signal d'un nouveau système révolutionnaire, et que les échafauds allaient être relevés. Mais Bonaparte ne voulait qu'apprendre une chose aux Français, c'est qu'il pouvait tout, afin qu'ils lui sussent gré du mal qu'il ne faisait pas, comme à d'autres d'un bienfait. On le trouvait clément quand il laissait vivre; on avait si bien vu comme il lui était facile de faire mourir!»

Cette interprétation, la seule que puisse adopter l'histoire après un demi-siècle de conjectures, aurait été celle de Machiavel, comme elle fut celle de madame de Staël et de M. de Chateaubriand: c'était un meurtre italien que le génie de la France se refusait à comprendre.

XXXVII

Madame de Staël apprit peu de jours après à Berlin la dernière maladie de M. Necker; elle partit précipitamment pour Coppet, espérant recevoir encore le dernier soupir de son père. Sa douleur, comme dans toutes les âmes émues, devient poésie sous sa plume.

«Dans ce fatal voyage de Weymar à Coppet, j'enviais toute la vie qui circulait dans la nature, celle des oiseaux, des mouches qui volaient autour de moi; je demandais un jour, un seul jour, pour lui parler encore, pour exciter sa pitié; j'enviais ces arbres des forêts dont la durée se prolonge au delà des siècles. Mais l'inexorable silence du tombeau a quelque chose qui confond l'esprit humain; et, bien que ce soit la vérité la plus connue, jamais la vivacité de l'impression qu'elle produit ne peut s'éteindre. En approchant de la demeure de mon père, un de mes amis me montra sur la montagne des nuages qui ressemblaient à une grande figure d'homme qui disparaîtrait vers le soir, et il me sembla que le ciel m'offrait ainsi le symbole de la perte que je venais de faire. Il était grand, en effet, cet homme qui, dans aucune circonstance de sa vie, n'a préféré le plus important de ses intérêts au moindre de ses devoirs, cet homme dont les vertus étaient tellement inspirées par sa bonté qu'il eût pu se passer de principes et dont les principes étaient si fermes qu'il eût pu se passer de bonté.

«En arrivant à Coppet, j'appris que mon père, dans la maladie de neuf jours qui me l'avait enlevé, s'était constamment occupé de mon sort avec inquiétude. Il se faisait des reproches de son dernier livre, comme étant la cause de mon exil; et, d'une main tremblante, il écrivit, pendant sa fièvre, au premier consul une lettre où il affirmait que je n'étais pour rien dans la publication de ce dernier ouvrage, qu'au contraire, j'avais désiré qu'il ne fût pas imprimé. Cette voix d'un mourant avait tant de solennité! cette dernière prière d'un homme qui avait joué un si grand rôle en France, demandant pour toute grâce le retour de ses enfants dans le lieu de leur naissance et l'oubli des imprudences qu'une fille, jeune encore alors, avait pu commettre, tout me semblait irrésistible; et, bien que je connusse le caractère de l'homme, il m'arriva ce qui, je crois, est dans la nature de ceux qui désirent ardemment la cessation d'une grande peine: j'espérai contre toute espérance. Le premier consul reçut cette lettre et me crut sans doute d'une rare niaiserie d'avoir pu me flatter qu'il en serait touché. Je suis à cet égard de son avis.»

On voit que l'impatience de madame de Staël pour le séjour de Paris l'emportait encore dans son âme sur l'horreur du meurtre du duc d'Enghien et qu'elle consentait à implorer celui qu'elle avait cessé d'estimer (dégradation de dignité du caractère qu'on ne pardonnerait pas dans un homme et qu'on déplore même dans une femme)! Implorer la tyrannie qu'on déteste, c'est s'enlever le droit de la détester. Toute cette époque de la vie de madame de

Staël fut pleine d'oscillations féminines qu'on ne peut justifier; on y sent la mauvaise influence d'un homme qui faisait fléchir son caractère sous ses propres versatilités. Elle se glorifiait devant les ennemis de Bonaparte du titre de victime, mais les seules victimes méritoires sont les victimes volontaires; l'héroïsme malgré soi est plus voisin de l'ostentation et du ridicule que de la vraie gloire. Éloignée de Paris, madame de Staël avait besoin de changer de scène.

XXXVIII

Après avoir payé à la mémoire de son père le tribut d'affection qu'elle lui avait toujours portée dans une notice apologétique de sa vie et dans la publication de ses manuscrits, elle partit pour l'Italie, terre de son imagination. Son voyage était un poëme. Elle y prépara les matériaux de son plus important ouvrage littéraire, le roman poétique de *Corinne*. Corinne était sa propre personnification. Elle se retraçait elle-même sous ce nom. Une jeune femme, dont l'imagination enthousiaste anime, colore, passionne toute la nature et toute l'histoire en parcourant la plus grande scène du monde antique, inspire un amour d'admiration plutôt que de cœur à un voyageur anglais qu'elle rencontra à Rome.

L'amour plus méridional et plus absolu qu'elle ressent elle-même pour lui redouble son génie et divinise, pour ainsi dire, son enthousiasme. Les chants qu'elle improvise au Capitole ou au cap Misène lui méritent la couronne du Tasse et de Pétrarque.

Mais son amant s'épouvante de la splendeur même de son idole; il craint avec raison que cette divinité d'intelligence ne puisse redescendre sur la terre au rôle modeste d'épouse obscure et de mère de famille. Ses faibles yeux ne peuvent supporter tant d'éclat, son cœur modéré ne peut fournir d'aliment à tant de flammes. Il s'éloigne, il se décourage, il épouse dans sa patrie une jeune parente d'une beauté virginale, d'un esprit médiocre, d'un caractère plus rassurant pour sa félicité domestique. Corinne, punie de sa beauté et de son génie, expire de tristesse sous l'excès même des dons qu'elle a reçus de la nature. Elle perd l'amour et la vie pour avoir conquis le bruit et la gloire.

Voilà le livre. On y sent à chaque page l'amertume d'une âme qui aurait voulu réunir dans une seule vie ce qui illustre l'existence et ce qui la voile, mais qui combat contre la nature des choses et contre la véritable destinée de la femme, qui est vaincue par le bons sens ou par ce qu'elle appelle les préjugés de la société.

Le livre de *Corinne* fut l'apogée du talent de madame de Staël. Le style est un reflet brûlant du ciel d'Italie, aperçu par-dessus les cimes des Alpes. Tantôt voyage, tantôt roman, le voyage est incomplet, le roman est déclamatoire.

Mais l'âme, tantôt virile, tantôt féminine de madame de Staël, en inonde les pages d'une si magique et d'une si touchante poésie de cœur et de style, qu'on oublie le livre pour admirer l'écrivain. La jalouse persécution que madame de Staël subissait ajoutait son intérêt à l'ouvrage. Le succès fut immense, le nom de madame de Staël atteignit ou dépassa toutes les renommées littéraires du temps. Le siècle n'avait point de poëte français en vers, point d'orateur en action; il adopta cette femme comme la poésie et l'éloquence de l'époque. Elle revint jouir de sa gloire à Coppet, à Genève, à Rouen, à Auxerre, enfin dans une terre de M. de Castellane, à douze lieues de Paris, sans oser s'en rapprocher davantage. Le bruit qu'elle y faisait était trop grand pour le silence absolu que l'empire faisait en France.

XXXIX

Madame de Staël reçut le 9 avril, anniversaire de la mort de son père, l'ordre de sortir de France et de résider à Coppet, sous la surveillance du préfet de Genève annexée par la conquête à l'empire. Le besoin de mouvement et de public la poussa bientôt au delà du Rhin. Elle séjourna quelque temps à Vienne et s'y prépara dans la société des poëtes et des hommes de lettres à illustrer la Germanie comme elle avait illustré l'Italie. Revenue à Coppet, en 1809, elle écrivit son livre de l'*Allemagne*, titre modeste sous lequel se cachait le plus beau commentaire du génie littéraire moderne en philosophie, en politique, en poésie; Corinne était éclipsée par l'auteur de *Corinne*. Le livre de l'*Allemagne* était plus qu'un livre; c'était un manifeste européen contre le matérialisme de la philosophie du dix-huitième siècle et contre la brutalité du despotisme français abaissant la pensée dans tout l'univers, afin d'abaisser les caractères.

Ce livre terminé, elle obtint avec peine l'autorisation de se rapprocher de quarante lieues de Paris pour en surveiller l'impression. Elle croyait que l'intention secrète de ce livre, cachée sous des commentaires littéraires, échapperait à la police inintelligente de l'Empire. Mais la police avait la divination du despotisme; elle ordonna des retranchements sans nombre au manuscrit. Madame de Staël les consentit tous pour enlever le prétexte de l'interdiction du livre. L'ouvrage, enfin imprimé, devait paraître dans quelques jours et récompenser par une légitime admiration les longues veilles de l'écrivain, quand un ordre arbitraire du ministre de la police, Savary, duc de Rovigo, fit mettre en pièces les dix mille exemplaires. Le manuscrit échappa à peine à l'inquisition impériale par les soins furtifs de quelques amis. Cette mesure fut suivie d'un ordre de sortir de France dans le délai de trois jours. Frappée inopinément dans sa sécurité, dans sa liberté, dans sa gloire, madame de Staël implora pour toute grâce une prolongation de huit jours pour se préparer à cette transplantation de son existence.

Napoléon avait dit à ceux qui lui demandaient grâce pour une femme: «Cette femme monte les esprits dans un sens qui ne convient pas à mes vues; je ne sais comment il se fait que, quand on l'a lue, on m'aime moins.» L'exécuteur impassible de ses rigueurs, Savary, ajouta, dans la lettre qu'il répondit à madame de Staël, l'humiliation à la douleur. Cette lettre est un monument du dédain soldatesque du moment pour les suspects de génie et d'indépendance.

«J'ai reçu, madame, la lettre que vous m'avez fait l'honneur de m'écrire. M. votre fils a dû vous apprendre que je ne voyais pas d'inconvénient à ce que vous retardassiez votre départ de sept à huit jours. Je désire qu'ils suffisent aux arrangements qui vous restent à prendre, parce que je ne puis vous en accorder davantage.

«Il ne faut point rechercher la cause de l'ordre que je vous ai signifié dans le silence que vous avez gardé à l'égard de l'empereur dans votre dernier ouvrage, ce serait une erreur: il ne pouvait pas y trouver une place qui fût digne de lui. Mais votre exil est une conséquence naturelle de la marche que vous suivez constamment depuis plusieurs années. Il m'a paru que l'air de ce pays-ci ne vous convenait point, et nous n'en sommes pas encore réduits à chercher des modèles dans les peuples que vous admirez.

«Votre dernier ouvrage n'est point français; c'est moi qui en ai arrêté l'impression. Je regrette la perte qu'il va faire éprouver au libraire, mais il ne m'est pas possible de le laisser paraître.

«Vous savez, madame, qu'il ne vous avait été permis de sortir de Coppet que parce que vous aviez exprimé le désir de passer en Amérique. Si mon prédécesseur vous a laissée habiter le département de Loir-et-Cher, vous n'avez pas dû regarder cette tolérance comme une révocation des dispositions qui avaient été arrêtées à votre égard. Aujourd'hui vous m'obligez à les faire exécuter strictement; il ne faut vous en prendre qu'à vous-même.

«Je mande à M. Corbigny de tenir la main à l'exécution de l'ordre que je lui ai donné, lorsque le délai que je vous accorde sera expiré.

«Je suis aux regrets, Madame, que vous m'ayez contraint de commencer ma correspondance avec vous par une mesure de rigueur: il m'aurait été plus agréable de n'avoir qu'à vous offrir le témoignage de la haute considération avec laquelle j'ai l'honneur d'être,

«Madame,

«Votre très-humble et très-obéissant serviteur,

Signé: «Le duc de ROVIGO.»

«P. S. J'ai des raisons, Madame, pour vous indiquer les ports de Lorient, La Rochelle, Bordeaux et Rochefort, comme étant les seuls ports dans lesquels vous pouvez vous embarquer. Je vous invite à me faire connaître celui que vous aurez choisi.»

XL

Les deux fils de madame de Staël, innocents des opinions et du génie de leur mère, se présentèrent en vain à Fontainebleau pour intercéder auprès de Napoléon; ils reçurent l'ordre de s'éloigner et furent compris dans l'exil. Le séjour de Coppet fut converti en prison d'État par le préfet de Genève. Les habitants ne pouvaient étendre leurs promenades que dans un rayon de deux lieues du château: les amis qui venaient les visiter encouraient eux-mêmes l'exil. M. Mathieu de Montmorency et madame Récamier, deux cœurs tentés par le péril quand il fallait avouer ou consoler l'amitié, bravèrent cet ordre et subirent la peine de leur courageuse générosité.

«Le même jour, Napoléon frappa l'illustration et la vertu dans M. de Montmorency, la beauté dans madame Récamier, et, si j'ose le dire, en moi quelque réputation de talent. Peut-être s'est-il aussi flatté d'attaquer le souvenir de mon père dans sa fille, afin qu'il fût bien dit que sur cette terre, ni les morts, ni les vivants, ni la pitié, ni les charmes, ni l'esprit, ni la célébrité, n'étaient de rien sous son règne. On s'était rendu coupable quand on avait manqué aux nuances délicates de la flatterie, en n'abandonnant pas quiconque était frappé de sa disgrâce. Il ne reconnaît que deux classes d'hommes, ceux qui le servent et ceux qui s'avisent, non de lui nuire, mais d'exister par eux-mêmes. Il ne veut pas que dans l'univers, depuis les détails de ménage jusqu'à la direction des empires, une seule volonté s'exerce sans relever de la sienne.

«Madame de Staël, disait le préfet de Genève, s'est fait une existence agréable chez elle; ses amis et les étrangers viennent la voir à Coppet; l'empereur ne veut pas souffrir cela.» Et pourquoi me tourmentait-il ainsi? Pour que j'imprimasse un éloge de lui? Et que lui faisait cet éloge, à travers les milliers de phrases que la crainte et l'espérance sont empressées à lui offrir? Bonaparte a dit une fois: «Si l'on me donnait à choisir entre faire moi-même une belle action ou induire mon adversaire à commettre une bassesse, je n'hésiterais pas à préférer l'avilissement de mon ennemi.» Voilà toute l'explication du soin particulier qu'il a mis à déchirer ma vie. Il me savait attachée à mes amis, à la France, à mes ouvrages, à mes goûts, à la société; il a voulu, en m'ôtant tout ce qui composait mon bonheur, me troubler assez pour que j'écrivisse une platitude dans l'espoir qu'elle me vaudrait mon rappel. En m'y refusant, je dois le dire, je n'ai pas eu le mérite de faire un sacrifice. L'empereur voulait de moi une bassesse, mais une bassesse inutile;

car, dans un temps où le succès est divinisé, le ridicule n'eût pas été complet, si j'avais réussi à revenir à Paris, par quelque moyen que ce pût être. Il fallait, pour plaire à notre maître, vraiment habile dans l'art de dégrader ce qu'il reste encore d'âmes fières, il fallait que je me déshonorasse pour obtenir mon retour en France, qu'il se moquât de mon zèle à le louer, lui qui n'avait cessé de me persécuter, et que ce zèle ne me servît à rien. Je lui ai refusé ce plaisir vraiment raffiné; c'est le seul mérite que j'aie eu dans la longue lutte qu'il a établie entre sa toute-puissance et ma faiblesse.

«La famille de M. de Montmorency, désespérée de son exil, souhaita, comme elle le devait, qu'il s'éloignât de la triste cause de cet exil, et je vis partir cet ami sans savoir si jamais sa présence honorerait encore ma demeure sur cette terre. C'est le 31 août 1811 que je brisai le premier et le dernier de mes liens avec ma patrie; je le brisai, du moins, par les rapports humains qui ne peuvent plus exister entre nous; mais je ne lève jamais les yeux au ciel sans penser à mon respectable ami, et j'ose croire aussi que dans ses prières il me répond. La destinée ne m'accorde plus une autre correspondance avec lui.»

XLI

Cette page des mémoires de la femme persécutée dans ses amis respire la vengeance d'une âme libre; elle atteste aussi plus de constance dans la dignité de l'âme que le despotisme n'était accoutumé à en rencontrer autour de lui. Si le gémissement est disproportionné au malheur chez une exilée au sein de sa famille, de son opulence et de ses jardins dans *l'Oasis* enchantée du lac de Genève, on ne peut s'empêcher de reconnaître que madame de Staël, qui pouvait se relever de la proscription par une phrase d'éloge au despotisme, montra un véritable courage en la refusant. Femme, elle fut plus homme que les hommes: de trop illustres exemples pouvaient excuser sa faiblesse. Peu d'écrivains de cette époque se firent scrupule d'adorer au moins d'une génuflexion et d'un enthousiasme le maître de la force. M. Michaud, l'auteur royaliste du *Printemps d'un Proscrit*, dédiait un *poëme impérial*, le treizième chant de l'Énéide, à la dynastie napoléonienne. M. de Chateaubriand célébrait, dans l'exorde d'un discours de réception à l'Institut, le nouveau *Cyrus* en style de prophète; M. de Maistre lui-même, le philosophe du despotisme, converti à l'usurpation par le succès, écrivait de Pétersbourg dans sa correspondance, aujourd'hui publiée, des adorations à la fortune de Napoléon. Si on la compare à ces hommes, madame de Staël paraît seule plus grande que le sort. Ils y cédaient, elle lui résistait, et sa résistance est d'autant plus belle qu'on ne lui demandait qu'une ligne de sa main pour prix de la faveur et de la liberté.

XLII

Elle se décida à la fuite. Le récit de cette fuite rouvre toutes les cicatrices d'un cœur de fille et de mère déchiré dans ses affections, dans ses souvenirs et dans ses habitudes.

«Déchirée la veille par l'incertitude, je parcourus, dit-elle, le parc de Coppet; je m'assis dans tous les lieux où mon père avait coutume de se reposer pour contempler la nature; je revis ces mêmes beautés des ondes et de la verdure que nous avions souvent admirées ensemble; je leur dis adieu en me recommandant à leur douce influence. Le monument qui renferme les cendres de mon père et de ma mère, et dans lequel, si le bon Dieu le permet, les miennes doivent être déposées, était une des principales causes de mes regrets en m'éloignant des lieux que j'habitais; mais je trouvais presque toujours, en m'en approchant, une sorte de force qui me semblait venir d'en haut. Je passai une heure en prière devant cette porte de fer qui s'est refermée sur les restes du plus noble des humains, et là, mon âme fut convaincue de la nécessité de partir. Je me rappelai ces vers fameux de Claudien, dans lesquels il exprime l'espèce de doute qui s'élève dans les âmes les plus religieuses lorsqu'elles voient la terre abandonnée aux méchants et le sort des mortels comme flottant au gré du hasard. Je sentais que je n'avais plus la force d'alimenter l'enthousiasme qui développait en moi tout ce que je puis avoir de bon, et qu'il me fallait entendre parler ceux qui pensaient comme moi pour me fier à ma propre croyance et conserver le culte que mon père m'avait inspiré. J'invoquai plusieurs fois, dans cette anxiété, la mémoire de mon père, de cet homme, le Fénelon de la politique, dont le génie était en tout l'opposé de celui de Bonaparte; et il en avait du génie, car il en faut au moins autant pour se mettre en harmonie avec le ciel que pour évoquer à soi tous les moyens déchaînés par l'absence des lois divines et humaines. J'allai revoir le cabinet de mon père, où son fauteuil, sa table et ses papiers sont encore à la même place; j'embrassai chaque trace chérie, je pris son manteau que jusqu'alors j'avais ordonné de laisser sur sa chaise, et je l'emportai avec moi pour m'en envelopper si le messager de la mort s'approchait de moi. Ces adieux terminés, j'évitai le plus que je pus les autres adieux qui me faisaient trop de mal, et j'écrivis aux amis que je quittais, en ayant pris soin que ma lettre ne leur fût remise que plusieurs jours après mon départ.

«Le lendemain samedi, 23 mai 1812, à deux heures après midi, je montai dans ma voiture en disant que je reviendrais pour dîner; je ne pris avec moi aucun paquet quelconque; en descendant l'avenue de Coppet, je m'évanouis; ma fille me prit la main et me dit: «Ma mère, songe que tu pars pour l'Angleterre, le pays de la liberté.» À Berne, mon fils me quitta, et, quand je ne le vis plus, je pus dire comme lord Russel: «La douleur de la mort est passée.»

Après avoir traversé l'Allemagne et la Pologne, elle se rendit en Russie pendant que Napoléon marchait avec un million d'hommes sur Moscou. L'empereur Alexandre la reçut à Pétersbourg comme il aurait reçu une alliée qui lui apportait pour concours l'opinion du monde libre, cette puissance qui équivaut aux armées et qui leur survit. Cependant elle n'osa pas résider ouvertement dans le seul pays ennemi de la France où sa résidence eût été un crime, puni peut-être dans la fortune de ses enfants. Elle chercha un asile à Stokholm auprès de ce même Bernadotte devenu prince royal de Suède. Tout fait présumer qu'elle augurait alors une fortune plus haute encore pour cet ancien ami, transfuge de la république, ennemi caché de Napoléon, allié secret et bientôt allié avoué de ses ennemis, que le flot de la guerre avait porté sur le trône de Suède et qu'un autre reflux pouvait reporter sur le trône de France. Bernadotte, Moreau et madame de Staël étaient alors les trois *Coriolans* de leur patrie.

Mais madame de Staël n'était française que par la conquête et par la servitude. Ce qui était crime dans Moreau et dans Bernadotte n'était en elle que légitime aspiration de sa liberté personnelle et de la liberté du monde. Après quelques mois de séjour à Stokholm, elle passa en Angleterre; elle y fut reçue avec l'enthousiasme dû à son nom, à son génie, à son indépendance. Ce fut là qu'elle vécut pendant ces deux dernières années où la fortune de Napoléon, s'écroulant pièce à pièce aussi rapidement qu'il l'avait construite, coalisa l'Europe soulevée contre lui et vengea, par l'invasion de Paris, l'invasion de tant de capitales.

XLIII

Ces représailles déplorables, mais ordinaires, du sort rouvrirent Paris à madame de Staël. Elle y rentra avec les Bourbons et avec la liberté constitutionnelle; elle y rentra, de plus, comme une exilée de la gloire que l'enthousiasme de sa patrie venge d'une longue oppression. Quel que soit le deuil de convenance qu'elle affectât un moment de porter sur les revers de l'empereur, sur la ruine de l'empire, sur l'invasion de la patrie, on ne peut croire à la sincérité bien poignante de cette douleur. Elle avait été elle-même un des membres les plus efficaces de cette coalition; elle avait recruté, comme Annibal, des ennemis à Napoléon dans tout l'univers; elle n'était rentrée que par la brèche de Paris dans Paris; elle y retrouvait la patrie, la fortune, la liberté, l'exercice de son génie, l'écho tout français de sa gloire, une grande influence sur les esprits, sur les souverains coalisés, sur les Bourbons eux-mêmes. Ces hypocrisies de sentiment ne siéent pas au véritable génie; le captif ne maudit pas sincèrement la main qui brise ses chaînes.

La rentrée de madame de Staël fut une restauration comme celle de Louis XVIII. Le roi la combla de faveurs comme roi et comme lettré; il caressa dans madame de Staël la fille de M. Necker dont jeune il avait partagé les opinions libérales, l'ennemie de Napoléon, la femme éloquente, la femme poëte, la femme politique qui, par son exemple et par son influence, ramenait aux Bourbons les républicains convertis à la monarchie tempérée. Elle ne fut pas un débris à cette époque, elle fut une puissance; son salon, où se groupaient pour l'entendre tous les hommes éminents de toutes les opinions et de toutes les nations réunies par la coalition de Paris, devint la tribune du monde. Jamais elle ne régna plus universellement sur la pensée de l'Europe. Indépendamment de ses opinions anglaises, qui la portaient à favoriser l'établissement d'un régime représentatif en France pour corriger une longue servitude et pour retremper les mœurs avilies par le despotisme, elle avait un grand intérêt de famille à complaire au roi.

La France devait à son père deux millions, que M. Necker en fuyant de Paris avait laissés en gage au trésor public. Ces deux millions, englobés dans les banqueroutes générales de la révolution, ne pouvaient être restitués à la famille de M. Necker que par une justice exceptionnelle du prince; elle en sollicitait la restitution. Cette faveur dépendait de la bienveillance autant que de l'équité du roi; une opposition acerbe et prématurée aurait aigri le gouvernement qu'il fallait fléchir. Les Bourbons n'étaient donc pas seulement pour madame de Staël la liberté et la patrie, ils étaient la fortune; elle les accueillait par réminiscence, mais elle les accueillait aussi par politique.

XLIV

Elle se hâta de profiter de la liberté de la pensée et de la parole pour publier son premier titre de gloire, ce beau livre de l'*Allemagne* que Napoléon avait fait impitoyablement lacérer par ses censeurs.

Ce livre, retardé ainsi par la brutalité du despotisme, parut bien plus à son heure en ce moment qu'il n'aurait fait trois ans plus tôt au milieu des destructions de la guerre européenne et au bruit de l'écroulement de l'empire. Napoléon sans le vouloir avait servi par cette tyrannie la gloire de son ennemie: ce livre fut la restauration du spiritualisme dans la philosophie, de l'originalité dans la littérature, de la liberté dans sa politique, de la conscience dans l'esprit humain. Il fit pour la littérature ce que le *Génie du Christianisme* de M. de Chateaubriand avait fait pour le catholicisme; il fit plus, car dans son livre de l'*Allemagne* madame de Staël inaugurait une force nouvelle dans le domaine de l'intelligence et de l'art. Elle créait, au lieu de la monarchie classique et plagiaire des lettres grecques et latines, la république du génie. La France se mourait d'imitation dans le fond et dans la forme des œuvres de l'esprit; elle lui ouvrait des sources neuves et intarissables d'inspiration dans l'originalité, cette muse qui se rajeunit avec les siècles. Elle trouvait le génie dans l'âme au lieu de le chercher dans l'artifice; elle faisait de la pensée exprimée par la littérature non plus un métier, mais une religion; elle réhabilitait le verbe humain avili par les lettrés de profession jusqu'à un vain battelage de mots et d'images transmis d'Athènes à Rome et de Rome à nous par les écoles.

Penser fortement, sentir sincèrement, agir dignement, parler éloquemment, agir au besoin héroïquement étaient à ses yeux une même condition littéraire. La religion, la liberté, l'amour, la vertu faisaient partie essentielle du génie. La littérature ainsi comprise, au lieu d'être un jeu de l'esprit, devenait une sublime morale révélée par le talent; c'était le culte du beau inséparable du bien et confondant la vérité et la gloire; en un mot, la littérature de la conscience au lieu de la littérature de l'imagination.

LXV

Cette critique créatrice de madame de Staël, appliquée avec une merveilleuse éloquence aux grandes œuvres philosophiques, lyriques ou dramatiques des grands écrivains du Nord, procédait par l'admiration au lieu de procéder par le dénigrement. C'est à la flamme de l'enthousiasme qu'elle faisait comparaître le génie, non pour énumérer froidement ses taches, mais pour s'extasier sur ses chefs-d'œuvre. L'homme grandissait aux yeux de l'homme, au lieu de se rapetisser à cette optique; on sortait de cette étude comme d'un temple où l'on venait contempler les merveilles de l'esprit humain et où la grandeur de l'intelligence révélait la grandeur de celui qui l'a créé; l'admiration devenait piété. Un tel livre était l'hymne du spiritualisme chanté par une voix émue sur les débris de la littérature matérialiste qui venait d'apostasier Dieu, l'âme, l'immortalité, la liberté, et de se ravaler au service et à la glorification de la tyrannie.

Le style de l'écrivain de l'*Allemagne* était partout à la hauteur de cette pensée; c'était un chant plutôt qu'un style. Qu'on en juge par ce qu'elle dit de la poésie à l'occasion de sa rencontre à Weymar avec *Gœthe* et *Schiller*, ces deux poëtes dont le génie, au lieu de faire deux rivaux, fit deux amis immortels.

«Ce qui est vraiment divin dans le cœur de l'homme ne peut être défini; s'il y a des mots pour quelques traits, il n'y en a point pour exprimer l'ensemble, et surtout le mystère de la véritable beauté dans tous les genres. Il est facile de dire ce qui n'est pas de la poésie; mais si l'on veut comprendre ce qu'elle est, il faut appeler à son secours les impressions qu'excitent une belle contrée, une musique harmonieuse, le regard d'un objet chéri, et par-dessus tout un sentiment religieux qui nous fait éprouver en nous-mêmes la présence de la divinité. La poésie est le langage naturel à tous les cultes. La Bible est pleine de poésie, Homère est plein de religion; ce n'est pas qu'il y ait des fictions dans la Bible, ni des dogmes dans Homère; mais l'enthousiasme rassemble dans un même foyer des sentiments divers, l'enthousiasme est l'encens de la terre vers le ciel, il les réunit l'un à l'autre.

«Le don de révéler par la parole ce qu'on ressent au fond du cœur est très-rare; il y a pourtant de la poésie dans tous les êtres capables d'affections vives et profondes; l'expression manque à ceux qui ne sont pas exercés à la trouver. Le poëte ne fait, pour ainsi dire, que dégager le sentiment prisonnier au fond de l'âme; le génie poétique est une disposition intérieure de la même nature que celle qui rend capable d'un généreux sacrifice; c'est rêver l'héroïsme que composer une belle ode. Si le talent n'était pas mobile, il inspirerait aussi souvent les belles actions que les touchantes paroles; car elles partent toutes également de la conscience du beau, qui se fait sentir en nous-mêmes.

«Un homme d'un esprit supérieur disait *que la prose était factice, et la poésie naturelle*: en effet les nations peu civilisées commencent toujours par la poésie, et dès qu'une passion forte agite l'âme, les hommes les plus vulgaires se servent, à leur insu d'images et de métaphores; ils appellent à leur secours la nature extérieure pour exprimer ce qui se passe en eux d'inexprimable. Les gens du peuple sont beaucoup plus près d'être poëtes que les hommes de bonne compagnie, car la convenance et le persiflage ne sont propres qu'à servir de borne: ils ne peuvent rien inspirer.

«Il y a lutte interminable dans ce monde entre la poésie et la prose, et la plaisanterie doit toujours se mettre du côté de la prose; car c'est rabattre que de plaisanter. L'esprit de société est cependant très-favorable à la poésie de la grâce et de la gaieté dont l'Arioste, La Fontaine, Voltaire sont les brillants modèles. La poésie dramatique est admirable dans nos premiers écrivains; la poésie descriptive, et surtout la poésie didactique a été portée chez les Français à un très-haut degré de perfection; mais il ne paraît pas qu'ils soient appelés jusqu'à présent à se distinguer dans la poésie lyrique ou épique, telle que les anciens et les étrangers la conçoivent.

«La poésie lyrique s'exprime au nom de l'auteur même; ce n'est plus dans un personnage qu'il se transporte, c'est en lui-même qu'il trouve les divers mouvements dont il est animé: J.-B. Rousseau dans ses *Odes religieuses*, Racine dans *Athalie*, se sont montrés poëtes lyriques; ils étaient nourris des psaumes et pénétrés d'une foi vive; néanmoins les difficultés de la langue et de la versification française s'opposent presque toujours à l'abandon de l'enthousiasme. On peut citer des strophes admirables dans quelques-unes de nos odes; mais y en a-t-il une entière dans laquelle le Dieu n'ait point abandonné le poëte? De beaux vers ne sont pas de la poésie; l'inspiration dans les arts est une source inépuisable qui vivifie depuis la première parole jusqu'à la dernière: amour, patrie, croyance, tout doit être divinisé dans l'ode, c'est l'apothéose du sentiment; il faut, pour concevoir la vraie grandeur de la poésie lyrique, errer par la rêverie dans les régions éthérées, oublier le bruit de la terre en écoutant l'harmonie céleste, et considérer l'univers entier comme un symbole des émotions de l'âme.

«L'énigme de la destinée humaine n'est de rien pour la plupart des hommes; le poëte l'a toujours présente à l'imagination. L'idée de la mort, qui décourage les esprits vulgaires, rend le génie plus audacieux, et le mélange des beautés de la nature et des terreurs de la destruction excite je ne sais quel délire de bonheur et d'effroi, sans lequel l'on ne peut ni comprendre ni décrire le spectacle de ce monde. La poésie lyrique ne raconte rien, ne s'astreint en rien à la succession des temps, ni aux limites des lieux; elle plane sur les pays et sur les siècles; elle donne de la durée à ce moment sublime pendant lequel l'homme s'élève au-dessus des peines et des plaisirs de la vie. Il se sent au milieu des merveilles du monde comme un être à la fois créateur et créé, qui doit mourir et qui ne peut cesser d'être, et dont le cœur tremblant et fort en même temps, s'enorgueillit en lui-même et se prosterne devant Dieu.

«Les Allemands réunissant tout à la fois, ce qui est très-rare, l'imagination et le recueillement contemplatif, sont plus capables que la plupart des autres nations de la poésie lyrique. Les modernes ne peuvent se passer d'une certaine profondeur d'idées dont une religion spiritualiste leur a donné l'habitude; et si cependant cette profondeur n'était point revêtue d'images, ce ne serait pas de la poésie; il faut donc que la nature grandisse aux yeux de l'homme pour qu'il puisse s'en servir comme de l'emblème de ses pensées. Les bosquets, les fleurs et les ruisseaux aux poëtes du paganisme; la solitude des forêts, l'Océan sans bornes, le ciel étoilé peuvent à peine exprimer l'Éternel et l'infini dont l'âme des chrétiens est remplie.

«Les Allemands n'ont pas plus que nous de poëme épique; cette admirable composition ne paraît pas accordée aux modernes, et peut-être n'y a-t-il que l'*Iliade* qui réponde entièrement à l'idée qu'on se fait de ce genre d'ouvrage: il faut pour le poëme épique un concours singulier de circonstances qui ne s'est rencontré que chez les Grecs, l'imagination des temps héroïques et la perfection du langage des temps civilisés. Dans le moyen âge, l'imagination était forte, mais le langage imparfait; de nos jours le langage est pur, mais l'imagination est en défaut. Les Allemands ont beaucoup d'audace dans les idées et dans le style, et peu d'invention dans le fond du sujet; leurs essais épiques se rapprochent presque toujours du genre lyrique. Ceux des Français rentrent plutôt dans le genre dramatique, et l'on y trouve plus d'intérêt que de grandeur. Quand il s'agit de plaire au théâtre, l'art de se circonscrire dans un cadre donné, de deviner le goût des spectateurs, et de s'y plier avec adresse, fait une partie du succès; tandis que rien ne doit tenir aux circonstances extérieures et passagères dans la composition d'un poëme épique. Il exige des beautés absolues, des beautés qui frappent le lecteur solitaire, lorsque ses sentiments sont plus naturels et son imagination plus hardie. Celui qui voudrait trop hasarder dans un poëme épique, pourrait bien encourir le blâme sévère du bon goût français; mais celui qui ne hasarderait rien n'en serait pas moins dédaigné.

«Boileau, tout en perfectionnant le goût et la langue, a donné à l'esprit français, l'on ne saurait le nier, une disposition très-défavorable à la poésie. Il n'a parlé que de ce qu'il fallait éviter; il n'a insisté que sur des préceptes de raison et de sagesse qui ont introduit dans la littérature une sorte de pédanterie très-nuisible au sublime élan des arts. Nous avons en français des chefs-d'œuvre de versification; mais comment peut-on appeler la versification de la poésie? Traduire en vers ce qui était fait pour rester en prose, exprimer en dix syllabes comme *Pope*, les jeux de cartes et leurs moindres détails, ou comme les derniers poëmes qui ont paru chez nous, le trictrac, les échecs, la chimie, c'est un tour de passe-passe en fait de paroles, c'est composer avec les mots, comme avec les notes, des sonates sous le nom de poëme.

«Il faut cependant une grande connaissance de la langue poétique pour décrire ainsi noblement les objets qui prêtent le moins à l'imagination, et l'on a raison d'admirer quelques morceaux détachés de ces galeries de tableaux; mais les transitions qui les lient entre eux sont nécessairement prosaïques, comme ce qui se passe dans la tête de l'écrivain. Il s'est dit:—Je ferai des vers sur ce sujet, puis sur celui-ci, puis sur celui-là.—Et, sans s'en apercevoir, il nous met dans la confidence de sa manière de travailler. Le véritable poëte conçoit, pour ainsi dire, tout son poëme à la fois au fond de son âme: sans les difficultés du langage, il improviserait, comme la sibylle et les prophètes, les hymnes saints du génie. Il est ébranlé par ses conceptions, comme par un événement de sa vie. Un monde nouveau s'offre à lui; l'image sublime de chaque situation, de chaque caractère, de chaque beauté de la nature frappe ses regards, et son cœur bat pour un bonheur céleste qui traverse comme un éclair l'obscurité du sort. La poésie est une possession momentanée de tout ce que notre âme souhaite; le talent fait disparaître les bornes de l'existence et change en images brillantes le vague espoir des mortels.

«Il serait plus aisé de décrire les symptômes du talent que de lui donner des préceptes; le génie se sent comme l'amour par la profondeur même de l'émotion dont il pénètre celui qui en est doué; mais si l'on osait donner des conseils à ce génie, dont la nature veut être le seul guide, ce ne serait pas des conseils purement littéraires qu'on devrait lui adresser; il faudrait parler aux poëtes comme à des citoyens, comme à des héros, il faudrait leur dire:—Soyez vertueux, soyez croyants, soyez libres, respectez ce que vous aimez, cherchez l'immortalité dans l'amour, et la divinité dans la nature; enfin, sanctifiez votre âme comme un temple, et l'ange des nobles pensées ne dédaignera pas d'y apparaître.»

Ne croit-on pas entendre la poésie elle-même devenue ce que Dieu l'a faite, la sibylle de la nature et la prêtresse du cœur humain?

XLVI

La poésie intime et domestique des Allemands, la seule épopée possible de nos jours, parce que les lumières ont fait évanouir de l'esprit humain les prodiges, cette poésie du mensonge, n'inspire pas moins bien madame de Staël dans sa critique de Woss, le précurseur de Gœthe dans son poëme d'*Hermann et Dorothée.*

«La pureté naïve et pathétique, qui est le principal charme du poëme de Woss, intitulé *Louise*, se fait sentir surtout, dit-elle, dans la bénédiction nuptiale du pasteur allemand en mariant sa fille.

«Ma fille, lui dit-il avec une voix émue, que la bénédiction de Dieu soit avec toi. Aimable et vertueux enfant, que la bénédiction de Dieu t'accompagne sur la terre et dans le ciel. J'ai été jeune et je suis devenu vieux, et, dans cette vie incertaine, le Tout-Puissant m'a envoyé beaucoup de joie et de douleur. Qu'il soit béni pour toutes deux! Je vais bientôt reposer sans regret ma tête blanchie dans le tombeau de mes pères, car ma fille est heureuse; elle l'est, parce qu'elle sait qu'un Dieu paternel soigne notre âme par la douleur comme par le plaisir. Quel spectacle plus touchant que celui de cette jeune et belle fiancée! Dans la simplicité de son cœur elle s'appuie sur la main de l'ami qui doit la conduire dans le sentier de la vie; c'est avec lui que, dans une intimité sainte, elle partagera le bonheur et l'infortune; c'est elle qui, si Dieu le veut, doit essuyer la dernière sueur sur le front de son époux mortel. Mon âme était aussi remplie de pressentiments lorsque, le jour de mes noces, j'amenai dans ces lieux ma timide compagne; content, mais sérieux, je lui montrai de loin la borne de nos champs, la tour de l'église et l'habitation du pasteur où nous avons éprouvé tant de biens et de maux.

«Mon unique enfant, car il ne me reste que toi, d'autres à qui j'avais donné la vie dorment là-bas sous le gazon du cimetière; mon unique enfant, tu vas t'en aller en suivant la route par laquelle je suis venu. La chambre de ma fille sera déserte; sa place à notre table ne sera plus occupée; c'est en vain que je prêterai l'oreille à ses pas, à sa voix. Oui, quand ton époux t'emmènera loin de moi, des sanglots m'échapperont et mes yeux mouillés de pleurs te suivront longtemps encore, car je suis homme et père, et j'aime avec tendresse cette fille qui m'aime aussi sincèrement. Mais bientôt, réprimant mes larmes, j'élèverai vers le ciel mes mains suppliantes, et je me prosternerai devant la volonté de Dieu qui commande à la femme de quitter sa mère et son père pour suivre son époux. Va donc en paix, mon enfant, abandonne ta famille et la maison paternelle; suis le jeune homme qui maintenant te tiendra lieu de ceux à qui tu dois le jour; sois dans sa maison comme une vigne féconde, entoure-la de nobles rejetons. Un mariage religieux est la plus belle des félicités terrestres; mais, si le Seigneur ne fonde pas lui même l'édifice de l'homme, qu'importe ses vains travaux?»

«Voilà, ajoute-t-elle, de la vraie simplicité, celle de l'âme, celle qui convient au peuple comme aux rois, aux pauvres comme aux riches; enfin, à toutes les créatures de Dieu. On se lasse promptement de la poésie descriptive, quand elle s'applique à des objets qui n'ont rien de grand en eux-mêmes; mais les sentiments descendent du ciel, et dans quelque humble séjour que pénètrent leurs rayons, ils ne perdent rien de leur beauté.»

LAMARTINE.

FIN DU CLIII[e] ENTRETIEN.

Paris.—Typ. de Rouge frères, Dunon et Fresné, rue du Four-St-Germain, 43.

CLIVᵉ ENTRETIEN
MADAME DE STAËL
SUITE

XLVII

Les citations de la poésie allemande révèlent sa prédilection pour les sujets graves, tendres ou pieux, les seuls véritablement poétiques, parce qu'ils touchent à l'infini par la pensée, par le sentiment ou par la religion, cet infini du cœur. Wilhelm Schlegel, son ami et son compagnon de voyage en Allemagne, lui fournit deux de ses plus belles pages; la première est un sonnet sur l'attachement à la vie.

«Souvent l'âme, fortifiée par la contemplation des choses divines, voudrait déployer ses ailes vers le ciel. Dans le cercle étroit qu'elle parcourt, son activité lui semble vaine, et sa science du délire; un désir invincible la presse de s'élancer vers des régions élevées dans des sphères plus libres; elle croit qu'au terme de sa carrière un rideau va se lever pour lui découvrir des scènes de lumière: mais quand la mort touche son corps périssable, elle jette un regard en arrière vers les plaisirs terrestres et vers ses compagnes mortelles. Ainsi, lorsque jadis Proserpine fut enlevée dans les bras de Pluton, loin des prairies de la Sicile, enfantine dans ses plaintes, elle pleurait pour les fleurs qui s'échappaient de son sein.»

La seconde est une ode dialoguée entre l'aigle et le cygne. «La pièce de vers suivante doit perdre encore plus à la traduction que le sonnet, dit-elle;» elle est intitulée: *Mélodies de la vie.* Le cygne y est mis en opposition avec l'aigle, l'un comme l'emblème de l'existence contemplative, l'autre comme l'image de l'existence active: le rhythme du vers change quand le cygne parle et quand l'aigle lui répond, et les chants de tous les deux sont pourtant renfermés dans la même stance que la rime réunit: les véritables beautés de l'harmonie se trouvent aussi dans cette pièce, non l'harmonie mais la musique intérieure de l'âme. L'émotion la trouve sans réfléchir, et le talent qui réfléchit en fait de la poésie.

«Le *cygne*: Ma vie tranquille se passe dans les ondes, elle n'y trace que de légers sillons qui se perdent au loin, et les flots à peine agités répètent comme un miroir pur mon image sans l'altérer.»

«L'*aigle*: Les rochers escarpés sont ma demeure, je plane dans les airs au milieu de l'orage; à la chasse, dans les combats, dans les dangers, je me fie à mon vol audacieux.»

«Le *cygne*: L'azur du ciel serein me réjouit, le parfum des plantes m'attire doucement vers le rivage, quand, au coucher du soleil, je balance mes ailes blanches sur les vagues pourprées.»

«L'*aigle*: Je triomphe dans la tempête quand elle déracine les chênes des forêts, et je demande au tonnerre si c'est avec plaisir qu'il anéantit.»

«Le *cygne*: Invité par le regard d'Apollon, j'ose me baigner dans les flots de l'harmonie; et reposant à ses pieds, j'écoute les chants qui retentissent dans la vallée de Tempé.»

«L'*aigle*: Je réside sur le trône même de Jupiter: il me fait signe et je vais lui chercher la foudre; et pendant mon sommeil, mes ailes appesanties couvrent le sceptre du souverain de l'univers.»

«Le *cygne*: Mes regards prophétiques contemplent souvent les étoiles et la voûte azurée qui se réfléchit dans les flots, et le regret le plus intime m'appelle vers ma patrie, dans le pays des cieux.»

«L'*aigle*: Dès mes jeunes années, c'est avec délices que dans mon vol j'ai fixé le soleil immortel; je ne puis m'abaisser à la poussière terrestre, je me sens l'allié des dieux.»

«Le *cygne*: Une douce vie cède volontiers à la mort: quand elle viendra me dégager de mes liens et rendre à ma voix sa mélodie, mes chants jusqu'à mon dernier souffle célébreront l'instant solennel.»

«L'*aigle*: L'âme, comme un phénix brillant, s'élève du bûcher, libre et dévoilée; elle salue sa destinée future, le flambeau de la mort la rajeunit en la consumant.»

XLVIII

Mais rien ne surpasse son analyse et sa traduction du drame de *Faust*, par Gœthe, et cette scène à laquelle ni l'antiquité ni Shakespeare n'ont de scène tragique à opposer. Laissons parler ici madame de Staël:

«Le séducteur Faust, dit-elle, apprend que Marguerite emprisonnée a tué l'enfant qu'elle a mis au jour, espérant ainsi se dérober à la honte. Son crime a été découvert, on l'a mise en prison, et le lendemain elle doit périr sur l'échafaud. Faust maudit Méphistophélès avec fureur; Méphistophélès accuse Faust avec sang-froid, et lui prouve que c'est lui qui a désiré le mal, et qu'il ne l'a aidé que parce qu'il l'avait appelé. Une sentence de mort est portée contre Faust, parce qu'il a tué le frère de Marguerite. Néanmoins, il s'introduit en secret dans la ville, obtient de Méphistophélès les moyens de délivrer Marguerite, et pénètre de nuit dans son cachot, dont il a dérobé les clefs.

«Il entend de loin murmurer une chanson qui prouve l'égarement de son esprit; les paroles de cette chanson sont très-vulgaires, et Marguerite était naturellement pure et délicate. On peint d'ordinaire les folles, comme si la folie s'arrangeait avec les convenances et donnait seulement le droit de ne pas finir les phrases commencées, et de briser à propos le fil des idées; mais cela n'est pas ainsi: le véritable désordre de l'esprit se montre presque toujours sous des formes étrangères à la cause même de la folie, et la gaieté des malheureux est bien plus déchirante que leur douleur.

«Faust entre dans la prison; Marguerite croit qu'on vient la chercher pour la conduire à la mort.»

MARGUERITE, se soulevant sur lit de paille, s'écrie

Ils viennent! ils viennent! oh! que la mort est amère!

FAUST, bas.

Doucement, doucement, je vais te délivrer.

Il s'approche d'elle pour briser ses fers.

MARGUERITE.

Si tu es un homme, mon désespoir te touchera.

FAUST.

Plus bas, plus bas, tu éveilleras la garde par tes cris.

MARGUERITE se jette à genoux.

Qui t'a donné, barbare, cette puissance sur moi? Il n'est que minuit: pourquoi viens-tu déjà me chercher? Aie pitié de mes larmes, laisse moi vivre encore: demain matin, n'est-ce pas assez tôt? (*Marguerite se relève.*) Je suis pourtant si jeune, si jeune; et dois-je déjà mourir? J'étais belle aussi, c'est ce qui a fait ma perte; mon ami était alors près de moi; il est maintenant bien loin. Les fleurs de ma guirlande sont dispersées. Ne me prends pas la main avec tant de violence. Ménage-moi. Ne me laisse pas pleurer en vain. Jamais, jusqu'à ce jour, je ne t'ai vu.

FAUST.

Comment supporter sa douleur?

MARGUERITE.

Je suis tout à fait en ton pouvoir. Seulement, laisse-moi allaiter mon enfant; je l'ai pressé sur mon cœur toute la nuit. Ils me l'ont ôté pour m'affliger. N'ont-ils pas prétendu que je l'avais tué? Jamais je ne redeviendrai ce que j'étais. N'ont-ils pas chanté des chansons contre moi, ces méchants! que voulaient-ils donc dire?

FAUST, se jette à ses pieds.

Ton amant est à tes pieds; il vient ouvrir les portes de cette horrible prison.

MARGUERITE.

Oui, mettons-nous à genoux; appelons les saints à notre secours. Les cris de l'enfer se font entendre et les mauvais génies nous attendent sur le seuil de mon cachot.

FAUST.

Marguerite! Marguerite!

MARGUERITE, attentive.

C'était la voix de mon ami. (*Elle se précipite vers Faust, et ses fers tombent.*) Où est-il? Je l'ai entendu m'appeler. Je suis libre. Personne ne pourra plus me retenir en prison. Je m'appuierai sur son bras, je me reposerai sur son sein. Il appelle Marguerite, il est là, devant la porte. Au milieu des hurlements de l'impitoyable mort, j'entends la douce et touchante harmonie de sa voix!

FAUST.

Oui, c'est moi, Marguerite!

MARGUERITE.

C'est toi; dis-le encore une fois. (*Elle le serre contre son cœur.*) C'est lui! c'est lui! Qu'est devenue l'angoisse des fers et de l'échafaud? C'est toi! je suis sauvée! J'aperçois devant moi la route où je te vis pour la première fois, le jardin si riant où Marthe et moi nous attendions.

FAUST.

Viens, viens.

MARGUERITE.

Il m'est si doux de rester quand tu demeures! Ah! ne t'éloigne pas!

FAUST.

Hâte-toi, nous payerions bien cher le moindre retard.

MARGUERITE.

Quoi! tu ne réponds point à mes embrassements? Mon ami, il y a si peu de temps que nous nous sommes quittés! as-tu donc déjà désappris à me serrer contre ton cœur? Jadis tes paroles, tes regards appelaient sur moi tout le ciel! Embrasse-moi, de grâce, embrasse-moi! Ton cœur est donc froid et muet? Qu'as-tu fait de ton amour? Qui me l'a ravi?

FAUST.

Viens, suis-moi, chère amie; prends courage; je t'aime avec transport; mais suis-moi, c'est ma seule prière.

MARGUERITE.

Es-tu bien Faust? est-ce bien toi?

FAUST.

Oui, sans doute; oui, viens.

MARGUERITE.

Tu me délivres de mes chaînes, tu me reprends de nouveau dans tes bras. D'où viens que tu n'as pas horreur de Marguerite? Sais-tu bien, mon ami, sais-tu bien qui tu délivres?

FAUST.

Viens, viens; déjà la nuit est moins profonde.

MARGUERITE.

Ma mère! c'est moi qui l'ai tuée! Mon enfant! c'est moi qui l'ai noyé! N'appartenait-il pas à toi comme à moi? Est-il donc vrai, Faust, que je te vois? N'est-ce pas un rêve? Donne-moi ta main, ta main chérie. Oh! ciel! elle est humide. Essuie-la. Je crois qu'il y a du sang! Cache-moi ton épée; où est mon frère? je t'en prie, cache-la moi.

FAUST.

Laisse donc dans l'oubli l'irréparable passé; tu me fais mourir.

MARGUERITE.

Non, il faut que tu restes. Je veux te décrire les tombeaux que tu feras préparer dès demain. Il faut donner la meilleure place à ma mère; mon frère doit être près d'elle. Moi, tu me mettras un peu plus loin; mais cependant pas trop loin, et mon enfant à droite sur mon sein: mais personne ne doit reposer à mes côtés. J'aurais voulu que tu fusses près de moi; mais c'était un bonheur doux et pur. Il ne m'appartient plus. Je me sens entraînée vers toi, et il me semble que tu me repousses avec violence; cependant tes regards sont pleins de tendresse et de bonté.

FAUST.

Ah! si tu me reconnais, viens.

MARGUERITE.

Où donc irais-je?

FAUST.

Tu seras libre.

MARGUERITE.

La tombe est là dehors. La mort épie mes pas. Viens; mais conduis-moi dans la demeure éternelle: je ne puis aller que là. Tu veux partir? Oh! mon ami, si je pouvais....

FAUST.

Tu le peux, si tu le veux; les portes sont ouvertes.

MARGUERITE.

Je n'ose pas sortir; il n'est plus pour moi d'espérance. Que me sert-il de fuir? Mes persécuteurs m'attendent. Mendier est si misérable; et surtout avec une mauvaise conscience! Il est triste aussi d'errer dans l'étranger; et d'ailleurs partout ils me saisiront.

FAUST.

Je resterai près de toi.

MARGUERITE.

Vite, vite, sauve ton pauvre enfant. Pars, suis le chemin qui borde le ruisseau; traverse le sentier qui conduit à la forêt; à gauche, près de l'écluse, dans l'étang, saisis-le tout de suite, il tendra ses mains vers le ciel; des convulsions les agitent. Sauve-le! Sauve-le!

FAUST.

Reprends tes sens; encore un pas, et tu n'as plus rien à craindre.

MARGUERITE.

Si seulement nous avions déjà passé la montagne.... L'air est si froid près de la fontaine. Là, ma mère est assise sur un rocher, et sa vieille tête est branlante. Elle ne m'appelle pas; elle ne me fait pas signe de venir; seulement ses yeux sont appesantis; elle ne s'éveillera plus. Autrefois nous nous réjouissions quand elle dormait.... Ah! quel souvenir.

FAUST.

Puisque tu n'écoutes pas mes prières, je veux t'entraîner malgré toi.

MARGUERITE.

Laisse-moi. Non, je ne souffrirai point la violence; ne me saisis pas ainsi avec ta force meurtrière. Ah! je n'ai que trop fait ce que tu as voulu.

FAUST.

Le jour paraît, chère amie! chère amie!

MARGUERITE.

Oui, bientôt il fera jour; mon dernier jour pénètre dans ce cachot; il vient pour célébrer mes noces éternelles; ne dis à personne que tu as vu Marguerite cette nuit. Malheur à ma couronne, elle est flétrie: nous nous reverrons, mais non pas dans les fêtes. La foule va se presser, le bruit sera confus; la place, les rues suffiront à peine à la multitude. La cloche sonne, le signal est donné. Ils vont lier mes mains, bander mes yeux; je monterai sur l'échafaud sanglant, et le tranchant du fer tombera sur ma tête.... Ah! le monde est déjà silencieux comme le tombeau.

FAUST.

Ciel! pourquoi donc suis-je né?

MÉPHISTOPHÉLÈS paraît à la porte.

Hâtez-vous, ou vous êtes perdus; vos délais, vos incertitudes sont funestes; mes cheveux frissonnent; le froid du matin se fait sentir.

MARGUERITE.

Qui sort ainsi de la terre? C'est lui, c'est lui; renvoyez-le. Que ferait-il dans le saint lieu? C'est moi qu'il veut enlever.

FAUST.

Il faut que tu vives.

MARGUERITE.

Tribunal de Dieu, je m'abandonne à toi!

MÉPHISTOPHÉLÈS à Faust.

Viens, viens, ou je te livre à la mort avec elle.

MARGUERITE.

Père céleste, je suis à toi; et vous, anges, sauvez-moi: troupes sacrées, entourez-moi, défendez-moi. Faust, c'est ton sort qui m'afflige....

MÉPHISTOPHÉLÈS

Elle est jugée.

Des voix du ciel s'écrient

Elle est sauvée.

MÉPHISTOPHÉLÈS, à Faust.

Suis-moi.

Méphistophélès disparaît avec Faust; on entend encore dans le fond du cachot la voix de Marguerite qui rappelle vainement son ami.

Faust! Faust!

La pièce est interrompue après ces mots. L'intention de l'auteur est sans doute que Marguerite périsse, et que Dieu lui pardonne; que la vie de Faust soit sauvée, mais que son âme soit perdue.

XLIX

Mais le génie de madame de Staël s'élève encore avec le sujet dans le troisième volume de l'*Allemagne*, qui traite de la philosophie, de la conscience, de la liberté, de la politique. Elle plane en philosophe, en moraliste, en citoyen, en homme d'État, sur tous les ouvrages qu'elle analyse; et comme un créateur, elle complète tout ce qu'elle touche. Les mépris du matérialisme sont sublimes.

«Les preuves de la spiritualité de l'âme ne peuvent se trouver dans l'empire des sens, le monde visible est abandonné à cet empire; mais le monde invisible ne saurait y être soumis; et si l'on n'admet pas des idées spontanées, si la pensée et le sentiment dépendent en entier des sensations, comment l'âme, dans une telle servitude, serait-elle immatérielle? Et si, comme personne ne le nie, la plupart des faits transmis, les sens sont sujets à l'erreur, qu'est-ce qu'un être normal qui n'agit que lorsqu'il est excité par des objets extérieurs et par des objets même dont les apparences sont souvent fausses?

«Un philosophe français a dit, en se servant de l'expression la plus rebutante, *que la pensée n'était autre chose qu'un produit matériel du cerveau.* Cette déplorable définition est le résultat le plus naturel de la métaphysique qui attribue à nos sensations l'origine de toutes nos idées. On a raison, si c'est ainsi, de se moquer de ce qui est intellectuel, et de trouver incompréhensible tout ce qui n'est pas palpable.

«Si notre âme n'est qu'une matière subtile, mise en mouvement par d'autres éléments plus ou moins grossiers, auprès desquels même elle a le désavantage d'être passive; si nos impressions et nos souvenirs ne sont que les vibrations prolongées d'un instrument dont le hasard a joué, il n'y a que des fibres dans notre cerveau, que des forces physiques dans le monde, et tout peut s'expliquer d'après les lois qui les régissent. Il reste bien encore quelques petites difficultés sur l'origine des choses et le but de notre existence, mais on a bien simplifié la question, et la raison conseille de supprimer en nous-mêmes tous les désirs et toutes les espérances que le génie, l'amour et la religion font concevoir; car l'homme ne serait alors qu'une mécanique de plus dans le grand mécanisme de l'univers: ses facultés ne seraient que des rouages, sa morale un calcul, et son culte le succès.

«Tout ce qui est visible parle à l'homme de commencement et de fin, de décadence et de destruction. Une étincelle divine est seule en nous l'indice de l'immortalité. De quelle sensation vient-elle? Toutes les sensations la combattent, et cependant elle triomphe de toutes. Quoi, dira-t-on, les causes finales, les merveilles de l'univers, la splendeur des cieux qui frappe nos regards, ne nous attestent-elles pas la magnificence et la bonté du Créateur? Le livre de la nature est contradictoire, l'on y voit les emblèmes du bien et du mal presque en égale proportion; et il en est ainsi pour que l'homme puisse exercer sa liberté entre des probabilités opposées, entre des craintes et des espérances à peu près de même force. Le ciel étoilé nous apparaît comme les parois de la divinité; mais tous les maux et tous les vices des hommes obscurcissent ces feux célestes. Une seule voix sans parole, non pas sans harmonie, sans force, mais irrésistible, proclame un Dieu au fond de notre cœur: tout ce qui est vraiment beau dans l'homme naît de ce qu'il éprouve intérieurement et spontanément: toute action héroïque est inspirée par la liberté morale; l'acte de se dévouer à la volonté divine, cet acte que toutes les sensations combattent et que l'enthousiasme seul inspire, est si noble et si pur, que les anges eux-mêmes, vertueux par nature et sans obstacle, pourraient l'envier à l'homme.

«On ne saurait nier, dira-t-on peut-être, que cette doctrine ne soit avilissante; mais néanmoins, si elle est vraie, faut-il la repousser et s'aveugler à dessein? Certes, ils auraient fait une déplorable découverte ceux qui auraient détrôné notre âme, condamné l'esprit à s'immoler lui-même, en employant ses facultés à démontrer que les lois communes à tout ce qui est physique lui conviennent; mais, grâce à Dieu, et cette expression est ici bien placée, grâce à Dieu, dis-je, ce système est tout à fait faux dans son principe, et le parti qu'en ont tiré ceux qui soutenaient la cause de l'immortalité est une preuve de plus des erreurs qu'il renferme.

«Si la plupart des hommes corrompus se sont appuyés sur la philosophie matérialiste, lorsqu'ils ont voulu s'avilir méthodiquement et mettre leurs actions en théorie, c'est qu'ils croyaient, en soumettant l'âme aux sensations, se délivrer ainsi de la responsabilité de leur conduite. Un être vertueux, convaincu de ce système, en serait profondément affligé, car il craindrait sans cesse que l'influence toute-puissante des objets extérieurs n'altérât la pureté de son âme et la force de ses résolutions. Mais, quand on voit des hommes se réjouir en proclamant qu'ils sont en tout l'œuvre des circonstances, et que ces circonstances sont combinées par le hasard, on frémit au fond du cœur de leur satisfaction perverse.

«Lorsque les sauvages mettent le feu à des cabanes, l'on dit qu'ils se chauffent avec plaisir à l'incendie qu'ils ont allumé: ils exercent alors du moins une sorte de supériorité sur le désordre dont ils sont coupables, ils font servir la destruction à leur usage; mais, quand l'homme se plaît à dégrader la nature humaine, qui donc en profitera?»

L

«C'est de la poésie, s'écrie-t-elle ailleurs, que toute cette manière de considérer le monde physique; mais on ne parvient à le connaître d'une manière certaine que par l'expérience; et tout ce qui n'est pas susceptible de preuves peut être un amusement de l'esprit, mais ne conduit jamais à des progrès solides.—Sans doute les Français ont raison de recommander aux Allemands le respect pour l'expérience; mais ils ont tort de tourner en ridicule les pressentiments de la réflexion, qui seront peut-être un jour confirmés par la connaissance des faits. La plupart des grandes découvertes ont commencé par paraître absurdes, et l'homme de génie ne fera jamais rien s'il a peur des plaisanteries; elles sont sans force quand on les dédaigne, et prennent toujours plus d'ascendant quand on les redoute. On voit dans les contes des fées des fantômes qui s'opposent aux entreprises des chevaliers et les tourmentent jusqu'à ce que ces chevaliers aient passé outre. Alors tous les sortiléges s'évanouissent, et la campagne féconde s'offre à leurs regards. L'envie et la médiocrité ont bien aussi leurs sortiléges; mais il faut marcher vers la vérité, sans s'inquiéter des obstacles apparents qui se présentent.

«Lorsque Keppler eut découvert les lois harmoniques du mouvement des corps célestes, c'est ainsi qu'il exprima sa joie: «Enfin, après dix-huit mois, une première lueur m'a éclairé, et, dans ce jour remarquable, j'ai senti les purs rayons des vérités sublimes. Rien à présent ne me retient: j'ose me livrer à ma sainte ardeur, j'ose insulter aux mortels, en leur avouant que je me suis servi de la science mondaine, que j'ai dérobé les vases d'Égypte pour en construire un temple à mon Dieu. Si l'on me pardonne, je m'en réjouirai; si l'on me blâme, je le supporterai. Le sort en est jeté, j'écris ce livre: qu'il soit lu par mes contemporains ou par la postérité, n'importe; il peut bien attendre un lecteur pendant un siècle, puisque Dieu lui-même a manqué, durant six mille années, d'un contemplateur tel que moi.» Cette expression hardie d'un orgueilleux enthousiasme prouve la force intérieure du génie.

«Gœthe a dit, sur la perfectibilité de l'esprit humain, un mot plein de sagacité: *Il avance toujours en ligne spirale.* Cette comparaison est d'autant plus juste qu'à beaucoup d'époques il semble reculer, et revient ensuite sur ses pas, en ayant gagné quelques degrés de plus. Il y a des moments où le scepticisme est nécessaire au progrès des sciences; il en est d'autres où, selon Hemsterhuis, *l'esprit merveilleux doit l'emporter sur l'esprit géométrique.* Quand l'homme est dévoré, ou plutôt réduit en poussière par l'incrédulité, cet esprit merveilleux est le seul qui rende à l'âme une puissance d'admiration, sans laquelle on ne peut comprendre la nature.

«La théorie des sciences en Allemagne a donné aux esprits un élan semblable à celui que la métaphysique avait imprimé dans l'étude de l'âme. La vie tient dans les phénomènes physiques le même rang que la volonté dans l'ordre moral. Si les rapports de ces deux systèmes les font bannir tous deux par de certaines gens, il y en a qui verraient dans ces rapports la double garantie de la même vérité. Ce qui est certain au moins, c'est que l'intérêt des sciences est singulièrement augmenté par cette manière de les rattacher toutes à quelques idées principales. Les poëtes pourraient trouver dans les sciences une foule de pensées à leur usage, si elles communiquaient entre elles par la philosophie de l'univers, et si cette philosophie de l'univers, au lieu d'être abstraite, était animée par l'inépuisable source du sentiment. L'univers ressemble plus à un poëme qu'à une machine; et s'il fallait choisir, pour le concevoir, de l'imagination ou de l'esprit mathématique, l'imagination approcherait davantage de la vérité.»

LI

Ses dédains contre la doctrine de la soi-disant vertu, fondée sur l'intérêt personnel, et sa flétrissure de l'égoïsme, s'élèvent jusqu'à la sublimité de l'invective.

«Non, certes, la vie n'est pas si aride que l'égoïsme nous l'a faite: tout n'y est pas prudence, tout n'y est pas calcul, et quand une action sublime ébranle toutes les puissances de notre être, nous ne pensons pas que l'homme généreux qui se sacrifie a bien connu, bien combiné son intérêt personnel; nous pensons qu'il immole tous les plaisirs, tous les avantages de ce monde, mais qu'un rayon divin descend dans son cœur pour lui causer un genre de félicité qui ne ressemble pas plus à tout ce que nous revêtons de ce nom, que l'immortalité à la vie.

«Ce n'est pas sans motif cependant qu'on met tant d'importance à fonder la morale sur l'intérêt personnel: on a l'air de ne soutenir qu'une théorie, et c'est en résultat une combinaison très-ingénieuse pour établir le joug de tous les genres d'autorité. Nul homme, quelque dépravé qu'il soit, ne dira qu'il ne faut pas de morale; car, celui même qui serait le plus décidé à en manquer, voudrait encore avoir à faire à des dupes qui la conservassent. Mais quelle adresse d'avoir donné pour base à la morale la prudence! Quel accès ouvert à l'ascendant du pouvoir, aux transactions de la conscience, à tous les mobiles conseils des événements!

«Si le calcul doit présider à tout, les actions des hommes seront jugées d'après le succès: l'homme dont les bons sentiments ont causé le malheur, sera justement blâmé; l'homme pervers mais habile sera justement applaudi. Enfin, les individus ne se considérant entre eux que comme des obstacles ou des instruments, ils se haïront comme obstacles, et ne s'estimeront pas plus que comme moyens. Le crime même a plus de grandeur, quand il tient au désordre des passions enflammées, que lorsqu'il a pour objet l'intérêt personnel: comment donc pourrait-on donner pour principe à la vertu ce qui déshonorerait même le crime?»

LII

L'enthousiasme lui révèle la beauté suprême du sacrifice, cette foi en action dans l'immortalité.

«C'est manquer, dit-elle, tout à fait de respect à la Providence, que de nous supposer en proie à ces fantômes qu'on appelle les événements: leur réalité consiste dans ce qu'ils produisent sur l'âme, et il y a une égalité parfaite entre toutes les situations et toutes les destinées, non pas vues extérieurement, mais jugées d'après leur influence sur le perfectionnement religieux. Si chacun de nous veut examiner attentivement la trame de sa propre vie, il y verra deux tissus parfaitement distincts: l'un, qui semble en entier soumis aux causes et aux effets surnaturels; l'autre, dont la tendance tout à fait mystérieuse, ne se comprend qu'avec le temps. C'est comme les tapisseries de haute lice, dont on travaille les peintures à l'envers, jusqu'à ce que, mises en place, on en puisse juger l'effet. On finit par apercevoir, même dans cette vie, pourquoi l'on a souffert, pourquoi l'on n'a pas obtenu ce qu'on désirait. L'amélioration de notre propre cour nous révèle l'intention bienfaisante qui nous a soumis à la peine; car les prospérités de la terre auraient même quelque chose de redoutable, si elles tombaient sur nous après que nous serions coupables de grandes fautes: on se croirait alors abandonné par la main de celui qui nous livrait au bonheur ici-bas comme à notre seul avenir.

«Ou tout est hasard, ou il n'y en a pas un seul dans ce monde, et s'il n'y en a pas, le sentiment religieux consiste à se mettre en harmonie avec l'ordre universel (qu'il soit pour nous ou contre nous), parce qu'il est la volonté divine.

LIII

Son dernier chapitre qui est la réhabilitation lyrique de l'enthousiasme, cette divination de la nature, de la vie, de la mort, de l'amour, de l'immortalité, est une des plus belles odes raisonnées qui ait jamais jailli de l'âme d'un homme ou d'une femme.

«Les écrivains sans enthousiasme ne connaissent, de la carrière littéraire, que les critiques, les jalousies, tout ce qui doit menacer la tranquillité, quand on se mêle aux passions des hommes; ces attaques et ces injustices font quelquefois du mal; mais la vraie, l'intime jouissance du talent, peut-elle en être altérée? Quand un livre paraît, que de moments heureux n'a-t-il pas déjà valu à celui qui l'écrivit selon son cœur et comme un acte de son culte! Que de larmes pleines de douceur n'a-t-il pas répandues dans sa solitude sur les merveilles de la vie, l'amour, la gloire, la religion? Enfin, dans ses rêveries, n'a-t-il pas joui de l'air comme l'oiseau, des ondes comme un chasseur altéré, des fleurs comme un amant qui croit respirer encore les parfums dont sa maîtresse est environnée? Dans le monde on se sent oppressé par ses facultés, et l'on souffre souvent d'être seul de sa nature au milieu de tant d'êtres qui vivent à si peu de frais; mais le talent-créateur suffit, pour quelques instants du moins, à tous nos vœux; il a ses richesses et ses couronnes, il offre à nos regards les images lumineuses et pures d'un monde idéal, et son pouvoir s'étend quelquefois jusqu'à nous faire entendre dans notre cœur la voix d'un objet chéri.

«Croient-ils connaître la terre, croient-ils avoir voyagé, ceux qui ne sont doués d'une imagination enthousiaste? Leur cœur bat-il pour l'écho des montagnes? L'air du Midi les a-t-il enivrés de sa suave langueur? Comprennent-ils la diversité des pays, l'accent et le caractère des idiomes étrangers? Les chants populaires et les danses nationales leur découvrent-ils les mœurs et le génie d'une contrée? Suffit-il d'une seule sensation pour réveiller en eux une foule de souvenirs?

«La nature peut-elle être sentie par des hommes sans enthousiasme? Ont-ils pu lui parler de leurs froids intérêts, de leurs misérables désirs? Que répondraient la mer et les étoiles aux vanités étroites de chaque homme pour chaque jour? Mais, si notre âme est émue, si elle cherche un Dieu dans l'univers, si même elle veut encore de la gloire et de l'amour, il y a des nuages qui lui parlent, des torrents qui se laissent interroger, et le vent dans la bruyère semble daigner nous dire quelque chose de ce qu'on aime.

«Enfin, quand elle arrive, la grande lutte, quand il faut à son tour se présenter au combat de la mort, sans doute l'affaiblissement de nos facultés, la perte de nos espérances, cette vie si forte qui s'obscurcit, cette foule de sentiments et d'idées qui habitaient dans notre sein, et que les ténèbres de la tombe enveloppent, ces intérêts, ces affections, cette existence qui se change en fantôme avant de s'évanouir, tout cela fait mal, et l'homme vulgaire paraît, quand il expire, avoir moins à mourir! Dieu soit béni, cependant, pour le secours qu'il nous prépare encore dans cet instant; nos paroles seront incertaines, nos yeux ne verront plus la lumière, nos réflexions qui s'enchaînaient avec clarté, erreront, isolées, sur de confuses traces; mais l'enthousiasme ne nous abandonnera pas, ses ailes brillantes planeront sur notre lit funèbre, il soulèvera les voiles de la mort, il nous rappellera ces moments où, pleins d'énergie, nous avions senti que notre cœur était impérissable, et nos derniers soupirs seront peut-être comme une noble pensée qui remonte vers le ciel.»

Tel est ce livre, le résumé vivant de la pensée d'un grand esprit, que l'étude approche de la sainteté, l'explosion éclatante d'une âme chargée par une longue vie et prête à s'évanouir dans sa lumière. Il eut peu de lecteurs comme ce qui dépasse le vulgaire, mais il forma entre ceux qui le lurent et qui le comprirent, la famille intellectuelle de madame de Staël, la secte du beau, la religion de l'esprit.

Elle se reposait cependant en écrivant, pour le vulgaire cette fois, un dernier livre bien plus populaire, parce qu'il condescendait à bien plus de faiblesses d'esprit et à bien plus de banalités de son temps. Nous voulons parler de ses *Considérations sur la Révolution française*. Ce livre, publié après sa mort, eut sa récompense dans l'engouement du jour, cette contrefaçon courte et fausse de la vraie gloire.

Une femme peut être un grand philosophe, un grand poëte, un grand écrivain, nous venons de le voir. Elle peut être difficilement un grand homme d'État et un grand historien politique. L'impartialité est la condition essentielle de l'histoire et de l'homme d'État. Quelle femme, et c'est là sa vertu, peut être souverainement impartiale? La femme est l'être passionné ou elle cesse d'être femme: la passion et l'impartialité s'excluent. Le sentiment élève souvent la femme jusqu'à l'héroïsme, jamais jusqu'à l'impassibilité, cette sérénité supérieure de l'esprit, condition de la politique et de l'industrie. Juger, c'est n'incliner pour aucun parti; la femme incline toujours du côté du cœur, madame de Staël inclinait nécessairement du côté de son père. Ce n'était pas la vérité qui était pour elle la vérité, c'était M. Necker; or M. Necker n'était qu'un homme de bien, un sophiste consciencieux. Madame de Staël, élevée à cette école d'où sortit plus tard la secte politique de 1830, qu'on appela doctrinaire, non à cause de ses doctrines, mais à cause de son dogmatisme, ne comprenait pas assez la révolution française pour en écrire.

La révolution française, ou plutôt la révolution européenne, couvant et éclatant dans le foyer de la France, avait deux buts: un but humain, l'émancipation de la classe la plus nombreuse, ou du *peuple*, de toute servitude et de toute inégalité aristocratique; un but surhumain, l'émancipation de la raison et de la conscience de toute religion imposée et de toute servitude religieuse; le détrônement des castes privilégiées par la loi, et le détrônement des églises d'État; la loi égale et la foi libre, voilà la révolution. La question monarchique n'y était que secondaire et presque indifférente. L'égalité devant la loi, et la liberté devant la foi solidement constituée, il importait peu à cette révolution que le pouvoir exécutif ou le ressort actif du gouvernement politique s'appelât roi ou président, monarque ou dictateur, qu'il fût héréditaire, ou qu'il fût électif; mais il importait infiniment que ce grand ressort actif du gouvernement fût affranchi de toute aristocratie privilégiée et de toute théocratie prédominante. Les citoyens égaux, les prêtres libres, les religions volontaires, les cultes salariés par eux-mêmes et dans la mesure de la foi qu'ils admettront, les concordats abolis, Dieu hors la loi parce qu'il est au-dessus de toute loi, tels étaient et tels sont les dogmes que la révolution française s'est donné mission d'établir en faits. Elle a pu être entravée comme toute entreprise humaine, tantôt par les anarchies, tantôt par les despotismes militaires, ces phases habituelles et courtes de toutes les révolutions; mais elle se continuera jusqu'à ce qu'elle soit parvenue à ses deux fins. Elle n'est pour cela ni antisociale, ni antireligieuse, puisqu'elle a pour objet de faire triompher la justice des privilèges, cette tyrannie des castes, et de faire triompher la foi des superstitions, cette tyrannie de l'esprit. C'est un second accès, mais plus radical, de la réforme du seizième siècle, mais au lieu de la réforme ou le protestantisme qui ne fut qu'un schisme dans la politique et dans la foi, c'est une réforme par la raison, c'est-à-dire une rénovation progressive du corps et de l'âme de la société européenne. Quiconque ne discerne pas cette double philosophie de la révolution française ne peut ni la comprendre, ni la juger, ni l'aimer, ni la raconter. Il en verra, tour à tour, avec fanatisme ou avec horreur, tantôt une phase, tantôt une autre: ici une vertu, là un crime; ici une sédition, là une réaction; aujourd'hui 1789, demain 1793; ici la gloire, là la *terreur*; un flux et reflux, un échafaud, un trône, une anarchie, un despotisme; mais il n'en saisira jamais d'un seul coup d'œil l'ensemble, la tendance, les fausses routes, les progrès, les chutes, les repos, les recrudescences, les colères, les découragements, le vrai courant.

Or madame de Staël ne comprenait de cette révolution que ce qui en était compris, en 1789, dans le salon aristocratique et courtisanesque, et dans l'esprit étroit de M. Necker. La révolution ne fut jamais pour elle, comme pour M. Necker, que la dépossession de la noblesse de cour par une bourgeoisie aristocratique, une meilleure répartition de l'impôt en faveur des plébéiens propriétaires, une administration des finances contrôlées par des États-Généraux composés de trois ordres, et tout au plus une représentation nationale divisée en deux assemblées, l'une héréditaire, l'autre élective, partageant le pouvoir législatif avec un roi limité. Tout ce qui dépassait dans l'âme de la révolution ce cadre étroit et arbitraire n'existait pas pour ces familiers de M. Necker. C'était là leur horizon, ils ne voyaient rien au delà et encore avait-il fallu l'insurrection nationale des États-Généraux et le grand geste de Mirabeau à la tribune, le 14 juillet, pour lui faire accepter cette fusion des ordres de l'État et cette limitation de la royauté et de l'aristocratie. Toute la politique de madame de Staël se résumait donc, en 1814 comme en 1790, dans un plagiat de la constitution anglaise, constitution antipapale et antiplébéienne, faite par la révolution tout aristocratique et tout ecclésiastique de 1688, et qui s'était arrêté selon sa nature à une aristocratie parlementaire et à une église d'État. Tel était le modèle de la révolution et le type de constitution que M. Necker et ses amis rêvaient pour la France. Tel était le texte que madame de Staël commentait avec une vaine éloquence dans ses considérations sur la révolution française. Un texte si faux ne pouvait découler qu'en sophismes plus ou moins spécieux et en applications plus sophistiques encore. C'était le lit de Procuste sur lequel une femme plébéienne de naissance, aristocrate de société, protestante de religion, couchait le géant révolutionnaire du dix-huitième siècle pour l'y rapetisser à la mesure de la féodalité et du puritanisme anglais du seizième siècle. Il ne pouvait sortir d'un tel effort qu'une constitution imitée et caduque, une royauté enchaînée, une chambre des pairs héréditaire, une chambre des communes ombrageuse, une anarchie à trois pouvoirs, placées en face les unes des autres, pour se condamner à la lutte ou à l'immobilité. Mais il y a des mensonges de circonstance qui ont pour un moment le succès d'une vérité. On voit souvent ce phénomène dans les révolutions au moment où les partis fatigués ou impuissants ont besoin de se mentir à eux-mêmes et aux autres, pour feindre une transaction nécessaire à tous, et pour attendre une occasion de rompre la trêve. Tel fut le prétexte du succès du livre de madame de Staël sur la révolution française. La royauté restaurée jouissait des respects qu'une fille de M. Necker affectait pour elle; ces respects lui paraissent une grande sanction donnée par une femme révolutionnaire elle-même, de sa nécessité; l'aristocratie, relevée de ses chutes dans une chambre des pairs souveraine, se félicitait d'une institution qui l'élevait politiquement plus haut qu'avant la révolution; enfin les révolutionnaires de toute date et de toute nature, abrités dans une constitution quelconque, ne tarissaient pas en feinte admiration pour un livre qui accordait dans une chambre plébéienne la réalité du pouvoir aux plébéiens ambitieux et éloquents.

Une secte qui naissait alors dans le salon de madame de Staël, et qui a possédé le pouvoir sous deux règnes depuis, la secte jeune, lettrée et publiciste des doctrinaires, ces habiles exploitateurs des demi-révolutions, fit de ce livre son évangile; la France devint anglaise avec eux. Ils préconisèrent jusqu'au fanatisme du plagiat cette monarchie parlementaire importée de Londres à Paris, qui les éleva et qui les précipita deux fois avec elle. Ils crurent avoir arrêté la révolution à leur formule, mesurant sa dose de royauté au roi, sa dose de privilége à l'aristocratie, sa dose d'influence à l'église, sa dose de liberté à la nation. Madame de Staël le crut avec eux; elle enfanta cette génération d'hommes d'État. Ce fut le fruit de son livre et l'éblouissement de ses dernières années. Quel homme d'État véritable pourrait relire aujourd'hui ce livre sans être arrêté à chaque ligne par un contre-sens, par un sophisme, par une illusion? Le style seul est viril, la politique est chimérique, l'histoire est une histoire de famille, un piédestal à M. Necker, de la philosophie de coterie, de la littérature sur la révolution! Mais il y a une heure pour tout dans la vie des peuples, c'était en France l'heure de l'Angleterre. L'engouement britannique possédait Paris. Madame de Staël en le caressant devint l'oracle du jour. Elle écrivait avec génie le non-sens du vulgaire. Une seule vertu émane de son livre, une haine romaine contre la tyrannie.

LIV

Le retour de Napoléon au 20 mars 1815 la surprit dans ce travail de Pénélope que quelques baïonnettes allaient déchirer. L'état de son âme est trop fidèlement et trop admirablement retracé par un écrivain de génie, M. Villemain, dans ses souvenirs de cette époque, pour que nous laissions peindre à un autre qu'à ce grand peintre les angoisses d'une femme qui furent en ce moment les angoisses de toute une nation.

«Souvent depuis quelques mois, dit M. Villemain, j'avais vu madame de Staël dans cette maison et ailleurs éclairer d'une vive lumière quelques entretiens accidentels sur la politique, les lettres, les arts, parcourir le passé et le présent comme deux régions ouvertes partout à ses yeux, deviner ce qu'elle ne savait pas, aviser par le mouvement de l'âme ou l'éclair de la pensée ce qui n'était qu'un souvenir enseveli dans l'histoire, peindre les hommes en les rappelant, juger, par exemple, le cardinal de Richelieu avec une sagacité profonde, et il faut ajouter une noble colère de femme, puis l'empereur Napoléon qui résumait pour elle tous les despotismes, et que sa parole éloquente retrouvait à tous les points de l'horizon comme une ombre gigantesque qui les obscurcissait. Elle ne lui gardait pas de haine dans sa chute; mais elle haïssait l'autorité de ses exemples, la corruption funeste qu'ils avaient répandue, et cette doctrine de la fatalité, du mensonge et de la force qu'elle sentait et qu'elle prévoyait survivante après lui; avec quelle admiration curieuse nous l'avions encore entendue remuer tant de questions naguère interdites et comme inconnues en France, les principes de l'ancien droit public de l'Europe, les causes populaires de la victoire actuelle des droits coalisés, le travail tardif et la solidarité pour longtemps indissoluble de la coalition, les instincts différents et pourtant compatibles des monarques héréditaires et des parvenus au trône, d'Alexandre et de Bernadotte; enfin le génie collectif et pourtant inépuisable de l'Angleterre pouvant au besoin se passer du hasard d'un grand homme pour faire de grandes choses, et, forte d'une institution qui lui fournit toujours à temps des hommes résolus et capables, achevant, par la ténacité de lord Liverpool et de lord Castelreagh, ce qui avait consumé le génie et l'espérance de Pitt!

«Puis de ces hauteurs et de ces mille points de vue spéculatifs et anecdotiques où se plaisait madame de Staël, nous l'avions entendue revenant sans cesse à la France, insistant avec une joie naïve d'amour-propre sur l'ascendant que la paix et la liberté légale allaient rendre à cette terre natale de l'intelligence, disait-elle, à cette métropole des esprits dont la civilisation de l'Europe était une colonie. Et que de fois encore du milieu de toutes ces thèses si animées, de tout ce déplacement soudain de raison virile et d'éloquence, je l'avais vue passer vivement à des intérêts privés, les faire valoir avec le même feu, donner à quelque mérite modeste ou disgracié un appui décisif, par ces paroles d'une séduction impérative ou d'une bonté touchante, comme elle en savait dire aux hommes politiques le plus à l'abri de l'émotion!

«Que de fois, par cette ardeur conciliante qui lui était un lien avec les meilleurs représentants de tous les partis, et par ce droit légitime de son esprit qui ne lui donnait guère moins de pouvoir sur M. de Blacas ou sur M. de Montmorency, que sur M. de Lafayette ou sur le baron Louis, je l'ai vue dans la même soirée, faire admettre dans la maison du roi un homme de mérite aussi indépendant que malheureux, réintégrer dans leurs emplois quelques agents impériaux et dévoués, mais avec honneur, au pouvoir qu'elle avait combattu, et servir de son crédit des hommes de lettres qui, pendant son exil, avaient eu le malheur de nier son talent.

«Mais ce soir-là toute sa vivacité de libres pensées et de verve originale, toute cette chaleur de sympathie et de bienfaisance était comme éteinte par un seul et absorbant intérêt. Sous la parure qu'elle portait d'ordinaire à la fois brillante et négligée, sous ce turban de couleur écarlate qui renfermait à demi ses épais cheveux noirs et s'alliait à l'éclat expressif de ses yeux, madame de Staël ne semblait plus la même personne: son visage était abattu et comme malade de tristesse. Le feu d'esprit, qui habituellement le traversait et ranimait de mille nuances rapides, ne s'y marquait plus que par une expression singulière de mobile et pénétrante inquiétude, une sorte de divination dans le chagrin: on se sentait affligé en la voyant. On avait devant les yeux non pas l'historien, mais la victime de *dix années d'exil*, la personne qui avait soutenu au prix de tant de douleurs, un long défi contre le pouvoir absolu, avait compté en désespérant chacun de ses victorieux progrès, avait souffert ses rigueurs croissantes, les avait pressenties plus dures encore, et s'était enfin délivrée du mal par une fuite hardie, semant sur sa route de Genève à Londres, en passant par la Russie et la Suisse, la protestation contre la conquête universelle et le serment d'une résistance à vie.

«Seulement à l'affliction grave et agitée de ses traits, il semblait que toute cette série d'épreuves épuisées successivement par elle lui réapparaissait en masse dans l'avenir, à elle plus avancée dans la vie et d'une santé déjà languissante, et on eût dit en même temps, à l'effort de courage qui dominait sa tristesse, qu'elle se résignait à être frappée à mort par le triomphe de ce qu'elle avait le plus haï, le plus redouté, mais qu'elle en attendait, avec plus d'indignation encore que d'effroi personnel, bien d'autres maux pour le monde, pour la France et pour la grande cause qu'elle avait tant aimée. Un intérêt intime se mêlait alors en elle à l'anxiété publique; quelques jours auparavant son âme était tout entière à des soins de famille, à l'union la plus digne préparée pour sa fille, à la pensée du jeune homme de si noble nom et de si grandes espérances que sa fille et elle avaient choisi, et maintenant c'était des apprêts d'une fuite nouvelle, l'attente d'un nouvel ébranlement de l'Europe, d'une ruine publique où pouvait s'abîmer tout bonheur privé, qui de toutes parts obsédaient cette âme active, que les incertitudes ordinaires de la vie suffisaient à troubler parfois jusqu'à la souffrance.

«En ce moment le tourment d'angoisse et de douleur de madame de Staël paraissait extrême, mais sans incertitude, et sa résolution était invariablement prise pour être exécutée sur l'heure, soit qu'elle sût déjà l'événement de Lons-le-Saulnier et toutes ses conséquences, soit quelle eût conclu de l'état intérieur des Tuileries, d'où elle venait, la perte absolue de toute espérance. Elle n'eut pas de conversation générale, mais seulement quelques paroles expressives échangées avec les personnes les plus considérables de la réunion.

«À quelques nouvelles plus ou moins faussement favorables, à l'annonce d'une noble lettre de M. Octave de Ségur, parti pour rejoindre, comme aide de camp, le maréchal, à Lons-le-Saulnier, sa réponse était un sourire d'une tristesse inexprimable, elle serra longtemps la main de M. de Lafayette, et lui dit devant deux amis qui mêlaient leurs vœux aux siens. «Dans ce cahot prochain, vous devez demeurer, vous devez paraître, pour résister au nom du droit et représenter 1789. Moi, je n'ai plus que la force de fuir. Cela est affreux.» D'autres paroles, plus abandonnées, exprimaient, dit-on, avec une lucidité étonnante dans un pareil trouble public et privé, toutes les conditions de mécontentement intraitables, de secrètes hostilités, de défections cachées sous l'alliance dont Napoléon allait être entraîné de toutes parts à l'intérieur avec les périls et les démonstrations implacables du dehors.

«Madame de Staël fit encore quelques adieux plus marqués ou plus intimes que les autres à madame de Rumfort, qui, malgré son calme ordinaire et sa philosophie de personne riche et invulnérable, commençait à s'agiter un peu de l'inquiétude universelle; elle dit: «Restez tranquille ici, vous, chère madame, vos noms vous protégent, votre maison sera parfois comme a été la mienne, l'hospice des blessés politiques de tous les partis. Vous aurez encore au profit des persécutés quelque accès dans la cour de cet homme qui est parti despote vaincu, et qui revient tyran déguisé. Il sera obligé, cette fois, de ménager un peu d'abord même ceux qu'il appelait des *Idéologues*, vos amis Tracy, Sieyès, Volney, Garat; mais, moi, il me hait, il hait en moi mon père, mes amis, nos opinions à tous, l'esprit de 1789, la charte, la liberté de la France et l'indépendance de l'Europe. Il sera ici demain, quelle comédie jouera-t-il au début? Je l'ignore, mais vous savez ce qu'il a dit à Lyon, ses promesses générales d'oubli et ses affiches de proscriptions individuelles. Ses griffes ont déjà reparu tout entières avant qu'il ait bondi jusqu'à nous. Je n'ai pas d'armée entre lui et moi, et je ne veux pas qu'il me tienne prisonnière, car il ne m'aura jamais pour suppliante. Adieu, chère madame.» Et peu de minutes après, madame de Staël et quelques amis plus affidés de sa personne et de sa famille étaient sortis du salon pour partir cette nuit même.

LV

Coppet fut comme toujours son asile, mais cet asile cette fois était à l'abri de la violence de son persécuteur; il n'était pas autant à l'abri de ses séductions: tout semble indiquer que les plus chers et les plus habiles intermédiaires entre madame de Staël et Napoléon furent employés pour assurer une réconciliation dont les deux millions toujours en suspens dans la main du gouvernement français seraient le gage. Le retour à main armée de l'île d'Elbe était incontestablement le plus grand attentat de Napoléon contre la conscience publique, contre la paix du monde, et contre la fortune de la France. Après avoir animé par un reflux fatal mais naturel l'invasion étrangère dans les murs de Paris, après avoir traité libre encore de sa personne à Fontainebleau, après avoir abdiqué et résigné le trône aux Bourbons, se servir dès armes d'honneur qu'on lui avait laissées dans son asile pour violer la foi jurée, les traités, la paix du monde, descendre avec des troupes et du canon sur le rivage de la patrie, embaucher l'armée, corrompre les généraux, déchirer la constitution, chasser du trône le roi nécessaire et réconciliateur, pour ramener par un nouveau défi l'Europe entière au cœur de la France, et pour lui faire perdre à Waterloo les dernières gouttes de son sang, certes il n'y avait d'excuse à un pareil acte que l'ennui personnel de l'empire perdu, et l'impatience d'une ambition qui comptait le monde pour rien devant un caprice de domination ou de gloire. Napoléon le sentait lui-même et cherchait à colorer son attentat d'un prétexte de patriotisme. Il se présentait avec une impudeur que dénote assez son mépris pour la conscience humaine, comme le restaurateur de cette liberté qu'il avait détrônée. Ses paroles, ses proclamations étaient d'un despote repentant et presque d'un républicain. Ce n'était plus l'empire, c'était la dictature qu'il demandait l'épée à la main. Il faisait entreluire à travers les fusils de ses vétérans des lueurs de constitution populaire et de vieux républicanisme qui fascinaient la multitude et qui prêtaient un prétexte aux tergiversateurs. L'accession de madame de Staël à son nouveau règne aurait été une bonne fortune pour sa politique; sa réputation de libéralisme, son talent, son nom, son influence sur l'opinion de l'Europe, auraient donné à sa conversion à l'empire la valeur d'un manifeste européen. Qui pouvait hésiter à se rallier à un dictateur que sa plus implacable ennemie déclarait nécessaire à la patrie et à la liberté? Rien ne fut négligé pour ébranler l'opposition de madame de Staël. Un républicain sincère, Carnot, venait de consentir à s'allier au despotisme, par fanatisme pour des frontières. Un terroriste assoupli, *Fouché*, venait d'accepter le ministère de la police, s'approchant du cœur pour étudier de plus près l'heure de le frapper. Enfin un exemple plus sophistique et plus monstrueux de défection aux principes et aux sentiments venait d'être donné de plus près à madame de Staël par un homme dont l'ascendant avait été autrefois tout-puissant sur son cœur. Les versatilités effrontées de Rome sous le Bas-Empire n'ont rien dans *Tacite* qui égale l'apostasie de soi-même en quelques heures par Benjamin Constant. Ce publiciste de la liberté et de la restauration venait d'appeler aux armes tous les cœurs et tous les bras contre le tyran qui s'approchait de la capitale; son manifeste, devenu le dernier cri de la liberté, frémissait encore dans toutes les voix de l'Europe libre, quand on apprit que ce *Caton*, appelé d'un signe aux Tuileries et vêtu en courtisan de César, était devenu en vingt-quatre heures le conseiller intime et salarié du tyran, sur la tête duquel il venait de conjurer le poignard du monde. Mépris de soi-même, ou mépris du genre humain, Benjamin Constant laissa cette énigme à deviner à la postérité. Le cynisme fut avéré, le motif inconnu; mais ce qu'il y a de plus inexplicable pour les hommes qui n'ont pas sondé jusqu'au scandale les impudeurs de l'esprit de parti, c'est que ce même Benjamin Constant devint, trois mois après, un des *bienvenus* de la seconde restauration des Bourbons; puis quelques années plus tard, la voix, l'oracle et le modèle des puritains de la liberté; puis le complice rémunéré de la révolution de 1830; puis une renommée de secte; puis une mémoire apprenant à tout mépriser dans les temps de partis, même l'estime des hommes.

LVI

On croit que madame de Staël, tout en gémissant sur la versatilité de son ancien ami, eut, sinon quelque faiblesse, au moins quelques ménagements pour Napoléon pendant les *cent jours*, soit qu'elle eût une généreuse pitié pour le tyran luttant avec l'adversité qu'il supportait moins bien que les victoires; soit qu'elle espérât mieux de la liberté sous un second règne obligé de mendier du républicanisme le pardon du premier; soit qu'elle se défiât de la fortune et que, dans l'intérêt de ses enfants, elle crût devoir laisser une porte entr'ouverte à la restitution des deux millions dont le gouvernement marchandait son silence. Cet exil, volontaire cette fois, dans la délicieuse demeure de Coppet, loin du bruit des armes, qui décidaient du sort du monde sans altérer sa félicité domestique, ressemblait au recueillement de *Cicéron* dans son *Tusculum* pendant que César l'invitait à venir à Rome pour y partager l'amitié du maître du monde.

C'est dans ces beaux lieux, époque troublée mais culminante de sa vie, que nous entrevîmes une seule fois la figure de la femme historique, dont nous retraçons aujourd'hui l'image. Nous retrouvons en ce moment l'impression fugitive de cette apparition, dans une lettre à un de nos amis d'enfance qui nous a été restituée après la mort de cet ami; nous demandons pardon au lecteur d'en détacher cette page. Mais elle atteste, par le fanatisme de la curiosité dont elle est pleine, l'enthousiasme et l'éblouissement que le nom de l'auteur de *Corinne* inspirait à la jeunesse de son temps.

. . . .
. . . .

«Tu me demandes si j'ai vu madame de Staël, pendant mon séjour sur les bords du lac de Genève? Tu me rappelles les journées que nous avons passées ensemble, il y a quelques mois dans la vallée d***, à circuler vainement autour des murs du parc d'un autre grand poëte pour apercevoir seulement de loin son ombre se glissant à travers les arbres sur les allées de son jardin. Hélas! je n'ai guère été plus heureux à *Coppet* qu'à ***. Notre timidité nous porte toujours malheur. À quel titre et sous quel prétexte me présenter aux portes de son château, et dans quel costume? Tu sais que je voyage à pied et en veste de toile, portant tout mon bagage dans un mouchoir de soie, au bout de la branche de houx que tu m'as donnée à Chambéry, quand nous allâmes visiter les *Charmettes*, ce pauvre Coppet de l'autre grand homme de Genève. D'ailleurs, cette visite n'aurait pas été convenable dans ma situation, lors même que j'aurais eu le courage de la risquer. Les habitants du château de V***, près de Coppet, chez lesquels j'ai reçu par aventure une hospitalité si imprévue et si maternelle, sont aussi ennemis de Bonaparte et de la tyrannie que tes oncles et les miens. Ils sont pleins d'admiration pour madame de Staël, leur voisine, mais ils ne la voient pas. Les opinions révolutionnaires de Coppet, leur antipathie contre M. Necker, et la situation réservée de madame de Staël, depuis le retour de Bonaparte à l'île d'Elbe, les éloignent de tout rapprochement avec elle. Ils s'occupent de ses opinions comme nous de ses œuvres. Je les aurais blessés dans leurs sentiments en allant à *Coppet*; ils n'auraient pas compris que je fusse à la fois royaliste et admirateur passionné de madame de Staël. Madame de*** m'a bien dit: Allez-y si vous voulez, je comprends qu'un jeune homme de votre âge et qui fait des vers se prive avec peine de l'occasion de voir cette femme de génie; mais je ne puis vous y conduire moi-même, on croirait ici et à Genève que je change de religion. Mais si vous ne tenez qu'à la voir sans lui parler, vous en aurez très-souvent l'occasion en vous promenant sur la route de *Coppet* à Morges. Elle y passe presque tous les jours en se promenant en voiture avec ses enfants et ses amis. La voir était assez pour moi; je me hâtai de profiter du renseignement. Hier, en sortant, comme à l'ordinaire, du château comme pour aller au lac, je pris la grande route de *Coppet*, et je me postai à l'ombre d'un saule, sur le revers du fossé, au bord du chemin. J'avais emporté avec moi un volume de *Corinne*, comme pour me porter bonheur; le livre ou le jour me portèrent en effet bonheur. Après avoir attendu une grande partie de la journée sans apercevoir autre chose sur la route que les petits nuages de poussière soulevés par le vent d'été, qui soufflait du lac vers les montagnes, le soleil baissait, j'allais reprendre tristement mon chemin pour rentrer à V***, quand un grand nuage de poussière et un bruit de roues attira mes regards du côté de Coppet. Le cœur me battit, le livre me tomba des mains; j'avais à peine eu le temps de me rasseoir au pied de mon saule, quand deux calèches découvertes, courant au grand trot des chevaux, vers Morges, défilèrent à demi voilées par la poussière devant moi. La première ne contenait que des jeunes gens sur le siége et de jeunes personnes dans la voiture; elles étaient charmantes, mais ce n'était pas de la beauté que je cherchais; dans la seconde, deux femmes d'un âge plus mûr étaient assises seules et causaient ensemble avec animation. L'une, on m'a dit le soir que c'était madame *Récamier*, m'éblouit comme le plus céleste visage qui ait jamais éclairé les yeux d'un poëte, trop beau comme un éclair pour être autre chose qu'une apparition! La seconde, un peu massive, un peu colorée, un peu virile pour une apparition, mais avec de grands yeux noirs et humides qui ruisselaient de flamme et de beauté, parlait avec une vivacité et avec des gestes qui semblaient accompagner de fortes pensées; elle se soulevait en parlant comme si elle eût voulu s'élancer de la calèche; ses cheveux, mal bouclés, s'épandaient au vent; elle tenait dans sa main une branche de saule qui lui servait d'éventail contre le soleil de juin; je ne vis plus qu'elle. Elle m'aperçut, et me montra du regard à son amie, qui se pencha à son tour pour regarder de mon côté.

«Est-ce mon costume? est-ce mon livre? est-ce l'enthousiasme involontaire exprimé par la rougeur ou par la pâleur sur mon visage? Me prirent-elles pour un étudiant allemand qui cherchait des fleurs dans la poussière des grands chemins, ou pour un poëte italien qui rêvait un sonnet à la liberté, à l'amour ou à la gloire de Corinne? Je ne sais; mais elles se retournèrent plusieurs fois pour regarder en arrière, et j'entendis, à travers le bruit des roues, quelques exclamations enjouées, qui me firent croire qu'elles avaient reconnu en moi un admirateur timide, et qu'elles riaient de mon embuscade d'enthousiasme sur un revers de fossé. Je tremblai même un instant qu'elle ne fît arrêter la voiture pour me demander ce que j'avais à lui dire. Je serais resté confondu et muet, car, pétrifié doublement par la beauté de l'une et par la gloire de l'autre, je ressemblais à un dieu *terme* qui voit passer sans parole le bruit et l'éclat du temps. Voilà mon cher V***, tout ce qu'il m'a été donné de voir de cette femme dont l'âme s'est si souvent répandue à la nôtre dans ses pages. Hélas! comme tout le monde, je n'ai saisi ma vision qu'au vol, et je n'ai vu l'amour et la gloire qu'à travers la poudre d'un grand chemin. Je t'envoie quelques vers que j'écrivis tristement le soir, en remontant à travers une forêt de châtaigniers, au château de V***, où l'on se moqua un peu de ma ferveur et de ma déception; mais je me suis bien gardé de les envoyer à madame de Staël, etc., etc.»

LVII

La rencontre que je racontais ainsi à mon ami avait lieu précisément le jour et à l'heure où le canon de *Waterloo* foudroyait du dernier coup la fortune de Napoléon et rendait l'air libre à madame de Staël. Les rayons du soleil couchant que j'avais vu briller sur son front étaient, à son insu les rayons du même soleil qui éclairait au même instant la chute et la fuite de son ennemi. Tout semblait conspirer alors au triomphe de sa politique, à la gloire de son nom, à la félicité de sa vie. La seconde restauration lui rendait Paris, le gouvernement représentatif, la liberté de la pensée, l'influence de la parole, la faveur de Louis XVIII, la fortune de M. Necker. Un de ses fils avait été tué en duel en Suède, mais il lui restait l'aîné, parfaite image de M. Necker, son grand-père. Ce jeune homme que nous avons connu après la mort de sa mère, aspirait à un rôle politique en France. Il avait la gravité précoce, la vertu froide, l'opinion faite, le caractère infaillible des hommes élevés dans le foyer domestique d'une grande gloire. Il était religieux envers Dieu, envers la liberté comme envers sa famille. Il promettait à madame de Staël un nom dignement continué dans l'avenir. Le mariage de sa fille était prémédité de loin avec M. le duc de Broglie, jeune orateur, à qui sa naissance, ses opinions, ses études politiques promettent la faveur que les principes libéraux assurent d'avance aux noms aristocratiques prêtés aux opinions populaires. Cette fille unique de madame de Staël, douée par la nature d'une beauté pour ainsi immatérielle, du génie de l'âme, supérieur au génie de l'imagination, et d'une vertu mûre au printemps, que la religion devait accomplir et couronner par une mort jeune, aurait fait l'orgueil de toutes les mères. Le génie, dans cette famille, semblait se perpétuer et se sanctifier par les femmes. Les hommes, depuis M. Necker, n'en avaient que l'effort, les femmes en avaient le don.

Pour comble de félicité domestique, le vide que l'échafaud, la mort naturelle, les années, les affections trompées avaient creusé dans le cœur de madame de Staël venait d'être, à l'insu du monde, comblé par un mariage secret et heureux. L'amour, qui débordait de son cœur comme de son esprit, avait trouvé tard, semblable à un repentir des jours perdus, son aliment dans un homme épris lui-même d'une sérieuse passion pour elle. Cet homme, plus jeune que madame de Staël de quelques années, était M. *Rocca*, d'une famille italienne transplantée à Genève. Officier de cavalerie dans l'armée française, blessé presque mortellement dans les guerres d'Espagne, il était revenu languir et mourir dans sa patrie. Sa rare beauté, la mélancolie de ses traits, la sombre et courte perspective de sa destinée avaient attendri sur lui le cœur de madame de Staël. L'enthousiasme et la reconnaissance avaient rajeuni et embelli de l'éternelle beauté madame de Staël aux yeux de son amant. Le mystère d'une passion que la vulgaire sagesse aurait désavouée avait ajouté à cet attachement mutuel les obstacles, les pudeurs, les charmes d'une secrète intelligence. L'amour avait triomphé des convenances. Madame de Staël avait donné sa main, mais sans perdre le nom sous lequel elle avait illustré son génie. Semblable à Mirabeau, elle n'avait pas voulu, en changeant de nom, désorienter la gloire. Ce fut une faiblesse de vanité que la femme n'aurait pas dû s'avouer, que l'amant n'aurait pas dû consentir. Rougir du nom, c'est rougir d'une partie de l'homme qu'on adore; quand une femme se donne, elle doit donner, sans retenue, ce qui est mille fois moins que son cœur, son nom et sa célébrité. Malgré cette réserve, cette union qui donna un fils à madame de Staël, fit le charme de ses dernières années. Elle aima comme une mère et fut aimée comme une amante. Ce second époux, qu'elle avait rendu heureux, ne put survivre à sa perte. Sa mort atteste la force et le désintéressement de son amour. Une faute, selon le monde, fut le tardif, mais suprême bonheur de sa vie.

LVIII

Cette vie, épuisée par tant d'agitation, tant de génie et tant d'amour, commençait à languir. Son amie, madame Necker de Saussure, raconte qu'à ses derniers moments elle songeait encore, comme Mirabeau mourant, à combattre le despotisme, qu'on tentait de réhabiliter sous le nom redevenu populaire de Napoléon.

> «Elle était déjà dangereusement malade, dit madame Necker, lorsque le manuscrit venu de Sainte-Hélène causa en France une si vive sensation. Malgré l'état de faiblesse auquel madame de Staël était réduite, elle voulut que ses enfants lui fissent la lecture de cet ouvrage, et elle le jugea avec toute la force de son esprit. *Les Chaldéens adoraient le serpent*, dit-elle, *les bonapartistes en font de même pour ce manuscrit de Sainte-Hélène; mais je sais loin de partager leur admiration. Ce n'est que le style des notes du* Moniteur; *et si jamais je me rétablis, je crois pouvoir réfuter cet écrit de bien haut.*»

Ses derniers moments furent illuminés comme un soir de fête; ils resplendirent pour elle de la gloire de la vie terrestre qui allait s'éteindre sur sa couche, et des espérances de sa vie immortelle qui allait éclore. Son dernier soupir fut encore éloquent: «Quand je n'aurais pas la certitude d'une vie future, dit-elle à ses amis, je rendrais encore grâce à Dieu d'avoir vécu. Toutes les fois que je suis seule, je prie, disait-elle à sa fille, il n'y a point de solitude pour ceux qui vivent en présence de Dieu, il n'y a point d'absence, pour ceux que la mort ou la distance séparent, quand ils se rencontrent dans la prière.» Elle mourut ainsi dans les bras de sa fille. Dieu n'aurait pas pu lui envoyer la foi et la piété sous la forme d'un ange consolateur, plus fait pour sanctifier le dernier adieu. Le siècle entier porta ce deuil de famille; elle n'eut ni les funérailles populaires de Mirabeau, ni les funérailles littéraires de Voltaire, mais elle eut les pieuses funérailles de fille, d'épouse, de mère, sous les chênes de *Coppet*, au pied du cercueil de son père, sur les bords de ce lac, en face de ces Alpes, où sa mémoire se confond à jamais avec celle de J.-J. Rousseau, son maître, de Voltaire, son voisin, de Byron, son hôte et son ami. Heureuse dans son berceau, heureuse dans sa vie, heureuse dans sa tombe.

Fille d'un ministre dont elle respira en naissant la popularité, favorite d'une nation qui flattait en elle son père, élevée sur les genoux des grands, des philosophes, des poëtes, habituée à entendre les premiers balbutiements de sa pensée applaudis comme des oracles de talent; mêlée, sans en être trop rudoyée, au commencement d'une révolution qui grandit tout ce qu'elle touche, ses apôtres comme ses victimes; abritée de la hache pendant les proscriptions par le toit paternel, au sein d'une nature poétique, écrivant dans le silence de cette opulente retraite des ouvrages politiques ou littéraires égaux aux plus beaux monuments de son siècle; ne subissant qu'un peu les inconvénients de trop de gloire, en butte à une de ces persécutions modérées qui méritent à peine le nom de disgrâce, et qui donnent à celle qui les subit la grâce de la victoire sans les rigueurs de l'adversité; vengée par l'Europe, de son ennemi, qu'elle a la consolation de voir tomber et de plaindre, remplissant le monde de son bruit, et mourant encore aimée dans son triomphe et dans son amour.

Il n'a manqué à cette femme, pour être la première des femmes d'action et des femmes de gloire, que l'échafaud de Marie-Antoinette ou de madame Roland. Et cependant, pour en revenir aux considérations qui ouvrent ce récit et qui doivent le clore: quelle est la plus grande de cette femme de bruit ou d'une femme de silence, voilant jusqu'à son âme de la chaste pudeur de son sexe, renfermée dans l'ombre de son pauvre foyer conjugal, entre un époux qu'elle aime, des enfants qu'elle élève, des vieillards qu'elle honore, des infirmes qu'elle soulage, des misères qu'elle nourrit, des talents même qu'elle sacrifie à d'humbles devoirs? Si la vanité littéraire hésite à prononcer, le bon sens et la vertu n'hésitent pas: la plus grande des deux, c'est celle qui est le plus femme, c'est-à-dire la plus obscure; car selon la juste expression d'un ancien, la gloire déplacée n'est que la plus grande des petitesses. Le grand jour, sur la femme, est contre nature; tout ce qui la dévoile la flétrit, la célébrité n'est pour elle qu'une illustre exposition. Que serait-ce qu'une femme sur la tombe de laquelle on ne pourrait écrire, pour toute épitaphe, que ce vain mot: ELLE A BRILLE!

LIX

Cependant il faut reconnaître, pour être juste, que la vie, les œuvres et le génie de madame de Staël ont eu un autre résultat pour sa patrie et pour l'Europe, que ce bruit de son nom et cet éclat de son génie. Elle a fait home aux hommes de leur servitude; elle a protesté contre la tyrannie; elle a entretenu ou rallumé dans les âmes le feu presque éteint de la liberté monarchique, représentative ou républicaine; elle a détesté à haute voix, quand tout se taisait ou applaudissait, le joug soldatesque, le pire de tous, parce qu'il est de fer, et qu'il ne se brise pas même, comme le joug populaire, par ses propres excès; elle a donné du moins de la dignité au gémissement de l'Europe; elle a été vaincue, mais elle n'a pas consenti à sa défaite, elle n'a pas loué l'oppression, elle n'a pas chanté l'esclavage, elle n'a pas vendu ou donné un seul mot de ses lèvres, une seule ligne de sa main à celui qui possédait l'univers pour doter ses adulateurs ou pour exiler ses incrédules; elle a édifié et consolé l'esprit humain; elle a relevé le diapason trop bas des âmes; elle a trouvé dans la sienne, elle a communiqué à ceux qui étaient dignes de la lire, un certain accent antique peu entendu jusqu'à elle, dans notre littérature monarchique et efféminée, accent qui ne se définit pas avec précision, mais qui se compose de la sourde indignation de *Tacite*, de l'angoisse des lettres de *Cicéron*, du murmure anonyme du Cirque quand *Antoine* présente la pourpre à César, du reproche de *Brutus* aux dieux quand il doute de leur providence après la défaite de la cause juste, du gémissement de *Caton* quand il se perce de son épée pour ne pas voir l'avilissement du genre humain! Cet accent n'est pas la liberté, mais il en est comme l'âpre arrière-goût, le regret amer, la vague espérance. C'est le remords de l'esprit humain. Il rappelle qu'il y a eu une vertu publique, et que si le peuple en a perdu la formule, la langue du moins en a conservé le retentissement.

C'est là la vraie gloire de madame de Staël. Ses ouvrages peuvent périr, mais son accent reste à la langue et aux caractères. On pense à elle toutes les fois qu'on se sent dans le cœur quelque chose de libre, de fort et de grand. C'est moins et plus que de la gloire littéraire, c'est de l'écho, mais c'est un écho romain.

LAMARTINE.

FIN DE L'ENTRETIEN CLIV.

Typ. de Rouge frères, Dunon et Fresné, rue du Four-St-Germain, 43

CLV^e ENTRETIEN
VIE DE MICHEL-ANGE
(BUONARROTI)

I

Cet homme, trop grand pour être contenu dans un seul nom d'homme, devrait porter quatre noms; car son génie et ses œuvres suffiraient à quatre éternelles mémoires.

Si vous sortez du Parthénon chrétien, le temple de *Saint-Pierre de Rome*, écrasé par la masse, l'immensité, la majesté, la divinité de ces édifices, véritables temples de l'infini, qui semble avoir été construit pour faire comprendre et adorer deux des attributs de Dieu, l'espace et la durée, rendus sensibles, et si vous voulez résumer en un seul nom d'homme vos impressions confuses pour reporter cette merveille à son principal auteur, c'est le nom de *Michel-Ange* qui tombe de vos lèvres: l'architecte de Dieu!

Si vous montez l'escalier sans marches du Vatican, comme une colline aplanie pour laisser les vieux pontifes monter sans perdre haleine au sanctuaire de leurs oracles; si vous entrez dans la chapelle *Sixtine* pour contempler sur ses murs et sur ses voûtes le tableau du *Jugement dernier*, ce poëme dantesque du pinceau, peint par un géant, où l'imagination, le mouvement, l'expression, la forme, la couleur semblent défier la création par son image, et si vous demandez quelle main de Prométhée moderne a jeté derrière lui ces gouttes d'huile pour en faire des hommes, des anges, des démons, des dieux? les murailles et les voûtes répondent par le nom de Michel-Ange.

Si vous entrez, à Florence, dans la chapelle monumentale de San Lorenzo, cette pyramide mortuaire des Pharaons de la Toscane, les *Médicis*; si vous levez vos yeux sur ce peuple de pierre qui semble sortir des Catacombes pour veiller éternellement sur ces sarcophages; si les deux figures du *Jour* et de la *Nuit*, l'une image vivante de la vie, l'autre image, vivante aussi, de la mort, calment comme par enchantement vos pensées terrestres, et vous font envier d'être de pierre comme elles pour respirer éternellement la majesté dédaigneuse de la vie et la mélancolie sereine de la mort; et si vous demandez à ces statues: Qui vous a taillées ou plutôt animées d'un seul jet dans le bloc? elles vous répondent: Et quel autre que le sculpteur souverain pouvait frapper de ces coups qui fendaient le rocher; Moïse du ciseau, qui au lieu de l'eau fait jaillir la pensée et la vie de la pierre? c'est Michel-Ange.

Enfin, si, en feuilletant dans les bibliothèques poudreuses du Vatican, à Rome, ou du palais *Pitti*, à Florence, les manuscrits du quinzième siècle, vos regards tombent sur une de ces poésies à la fois platoniques et amoureuses, où les vers, forts comme des muscles de géant, et les pensées, tendres comme des rêves de femme, respirent à la fois la virilité du buste de *Brutus* et la mélancolie des sonnets de Pétrarque; et si vous demandez quel était ce poëte avec lequel la plus belle, la plus poétique et la plus chaste des femmes de son siècle, *Vittoria Colonna*, entretenait ce commerce de cœur et de génie qui consolait l'un de sa vieillesse, l'autre de son veuvage d'un héros? Ces vers, écrits avec le fiel du Dante, les larmes de Pétrarque et les songes dorés de Platon, étaient les délassements, les mugissements ou les consolations de Michel-Ange.

Quatre hommes en un, dont le moindre est égal aux plus grands d'un siècle où tout était grand; un homme réel, et cependant un homme fabuleux, voilà Michel-Ange. Disons brièvement sa vie: elle fut longue, comme la vie de ceux à qui la Providence réserve beaucoup d'espace pour ce qu'ils ont à accomplir ici-bas.

II

Il naquit, le 6 mars 1474, dans un château du *Cosentin*, province de Toscane, dans le voisinage d'Arezzo. Son père, d'une famille illustre de Florence, était podestat ou gouverneur, pour les Médicis, de ce district. Il se nommait Ludovico Buonarroti-Simoni, de la maison de Canossa. Sa mère était aussi de race noble, et estimée pour l'honnêteté de ses mœurs et la dignité de sa vie dans la province. À l'expiration de ses fonctions annuelles de podestat dans le Cosentin, le père de Michel-Ange revint habiter sa maison de *Settignano*, où il possédait une métairie plantée de figuiers, d'oliviers et de vigne, sur une colline aux portes de Florence. C'est de cette colline que naquit la vocation sculpturale de Michel-Ange. Settignano était, comme autrefois *Paros*, comme aujourd'hui *Carrare*, une carrière de marbre où les statuaires et les architectes de Florence venaient chercher leurs blocs et où ils les faisaient ébaucher par leurs élèves et leurs ouvriers. L'enfant eut pour nourrice la femme d'un de ces carriers du village paternel. Il attribue lui-même, plus tard, son inclination pour la statuaire à ces premiers blocs qu'il voyait dégrossir dans la maison de sa nourrice et à ces outils de sculpteur avec lesquels ses petites mains jouaient dès le berceau. Les plus grandes vocations n'ont souvent pas d'autre origine. Les plus grands fleuves, à leur source, ne prennent souvent leur direction que d'un caillou qui leur ferme la route ou d'une rigole qui la favorise par la main d'un enfant sur la pente où ils doivent couler.

«Giorgio, disait-il un jour avec enjouement à son ami *Vasari*, à l'époque où il remplissait déjà l'Italie de son nom et de ses œuvres, si j'ai eu quelque grandeur et quelque bonheur dans le génie, cela m'est venu d'être né dans la pauvreté et dans l'élasticité de votre air des collines d'Arezzo; et c'est ainsi que je tirai, pour ainsi dire, du lait de ma nourrice, à Settignano, le ciseau et le maillet avec lesquels je fais mes figures.»

III

La famille de Ludovico Buonarroti devenue plus nombreuse avec les années, par la fécondité de sa femme, le père de Michel-Ange, pour élever ses fils, fut obligé de les mettre en apprentissage dans les manufactures de *laine* et de *soie* de Florence, qu'on appelait en Toscane les *Arts*, et qui, dans un pays gouverné par des artisans devenus princes, ne dérogeaient point à la noblesse des familles. Le jeune Michel-Ange, placé par son père dans une école de grammaire, tenue par Francesco d'Urbino, se refusait à toute autre étude qu'à celles auxquelles la nature et ses premières impressions d'enfance chez sa nourrice le prédestinaient. On le surprenait toujours le crayon à la main, dessinant des figures sur ses livres. Son père et ses oncles, qui voulaient violenter sa vocation et qui regardaient la sculpture et la peinture comme des métiers ignobles et mercenaires, indignes de leur sang, gourmandaient et frappaient en vain l'enfant pour le contraindre aux études, selon eux, plus nobles du commerce. Sa vocation, comme il arrive toujours, se fortifiait et s'irritait par la résistance paternelle. À la fin, le père céda, moins par conviction que par lassitude; l'enfant fut placé comme élève chez le célèbre peintre *Dominico Ghirlandaïo*, dont l'école était alors la première de Florence. Michel-Ange y entra à quatorze ans. Une note du livre de comptes de son père, retrouvée et conservée par les érudits toscans, ne laisse aucun doute sur ces commencements de Michel-Ange:

«Le premier jour d'avril 1588, moi, Ludovico di *Buonarrota*, j'ai engagé mon fils, *Michel-Agnolo*, chez Dominico Ghirlandaïo et David *Cunado*, pour trois ans, aux conditions suivantes: que ledit Michel-Agnolo, mon fils, devra rester chez ces maîtres pendant le susdit temps pour apprendre à dessiner et pour faire tout ce que ces maîtres lui commanderont; et que ces susdits maîtres lui donneront pour ces trois années vingt-quatre florins de gages, savoir: six florins la première année, huit florins la seconde, dix florins la troisième, en tout quatre-vingt-seize livres. Suit la quittance des six premiers florins. Signé: Ludovico di *Lionardo* di *Buonarrota*.»

IV

La nature sembla se venger par la rapidité et par le prodige du talent de l'enfant des résistances qu'on lui avait opposées. Il osa corriger plusieurs fois avec supériorité les ébauches du maître en son absence. À la fin de sa peinture à la coupole de *Santa Maria Novella*, œuvre pendant laquelle Michel-Ange avait étonné et secondé son maître, «Cet enfant en ferait déjà plus que moi!» s'écria Ghirlandaïo!

Laurent de Médicis ayant demandé un jour au grand peintre quelques jeunes gens capables de raviver la sculpture qui dépérissait en Toscane depuis la mort de Donato, Ghirlandaïo lui offrit Michel-Ange. Laurent de Médicis admit le jeune élève dans l'école de sculpture qu'il institua dans les jardins de son palais, sous la direction d'un vieillard survivant de l'école de Donato.

Le ciseau, que Michel-Ange n'avait jamais manié depuis la maison de sa nourrice, égala en peu de jours dans ses mains les prodiges de son pinceau chez Ghirlandaïo. Laurent de Médicis, témoin des jeux de ce génie enfant, qui dépassait du premier jet ses modèles et ses maîtres, se prit d'une tendre et paternelle admiration pour Michel-Ange; il lui donna une chambre dans son propre palais; il l'admit à sa table, où Laurent le Magnifique, entouré de ses enfants, des poëtes, des savants, des philosophes, des artistes les plus renommés de la république, prolongeait dans la nuit les entretiens dignes des temps de Périclès, pour faire rejaillir jusque sur le père de Michel-Ange les bontés qu'il avait pour le fils. Il donna à Ludovico Buonarroti un emploi lucratif dans l'administration de la république. Le fils avait un traitement fixe et cinq ducats d'or par mois, et de temps en temps des présents magnifiques, parmi lesquels Michel-Ange cite un riche manteau brodé pareil à ceux que Laurent donnait à ses propres fils.

La mort de Laurent de Médicis, en 1492, interrompit cette douce familiarité de Michel-Ange avec le Périclès de l'Italie et le renvoya à la maison de son père. Les chefs-d'œuvre que le jeune statuaire avait exécutés pendant ces quatre années avaient fait oublier *Donato*; les Médicis, grâce à lui, avaient retrouvé dans le marbre on ne sait quoi de moins harmonieux, mais de plus grandiose que la statuaire grecque, et de plus grec que la statuaire romaine. L'art toscan était né de la pensée et de la main de cet enfant. Le génie de la sculpture étrusque, mystère dans son passé, mystère à sa renaissance, apparaissait au monde comme un phénomène de l'esprit humain qui ne sera jamais expliqué. La beauté des marbres de Michel-Ange et de son école tient plus de la Fable que de l'histoire et de la Divinité que de la nature. Phidias dessine plus correctement et proportionne plus suavement ses ligures à la taille et aux contours des modèles parfaits que lui fournit l'Attique ou l'Ionie, ces deux terres de la beauté virile et de la beauté féminine. Michel-Ange conçoit, imagine, rêve toujours un peu plus grand et un plus beau que nature. La ligne droite, base fondamentale de ses statues, depuis l'orteil jusqu'au sommet de la tête, est plus longue et plus élancée que la ligne grecque; les inflexions, plus hardies et plus étranges de cette ligne donnent aux traits, aux formes et aux mouvements de ses statues des nervures, des attitudes, des torsions, des majestés, des hardiesses qui dressent l'homme plus haut sur ses pieds et qui semblent faire escalader l'art jusqu'au ciel. Et cependant cette légère exagération de la stature étrusque n'altère ni la réalité ni la beauté, elle les dépasse. Phidias humanise l'idéale beauté, Michel-Ange la transfigure et la divinise. Voilà le caractère des deux sculpteurs les plus accomplis des deux plus grands siècles: celui de Périclès, celui de Léon X; l'un est un homme, l'autre est un géant; l'un a plus de perfection, l'autre a plus de race; l'un charme, l'autre éblouit; l'un est la nature, l'autre est le miracle. Dire quel est le plus accompli des deux, c'est facile; mais dire quel est le plus grand, nul ne l'oserait sans craindre de blasphémer dans l'un l'imitation de la nature, dans l'autre l'imagination du surnaturel.

Tel apparut, dès le premier coup de ciseau, Michel-Ange aux Médicis. En exhumant, comme ils le faisaient par leurs agents en Morée, les chefs-d'œuvre enfouis de l'art grec, ils avaient trouvé mieux que des statues mortes, ils avaient trouvé la statuaire vivante dans ce jeune nourrisson des carrières de Settignano.

V

Pierre de Médicis, qui venait de succéder à Laurent le Magnifique et qui avait contracté une amitié de jeune homme avec le commensal des jardins et du palais de son père, continua sa faveur à Michel-Ange; il lui commanda différents bas-reliefs; il se fit même un jeu de son génie et lui fit exécuter, un jour d'hiver, une gigantesque statue de neige pour décorer ses jardins. Un rayon de soleil fondit ce chef-d'œuvre. Mais la fécondité de Michel-Ange, égale à celle de la nature, prodiguait la conception comme la nature prodiguait la matière. Neige ou bronze, tout lui était indifférent, pourvu qu'il enfantât ce qu'il avait conçu. Les Florentins pleurèrent cependant le chef-d'œuvre de neige. Mais Michel-Ange les consola par un crucifix en bois pour l'autel de l'église du Saint-Esprit. Le prieur de ce monastère, pour faciliter au jeune artiste la représentation de la mort divine, prêta à Michel-Ange la clef des salles où l'on exposait les cadavres de la paroisse avant la sépulture. C'est dans ces salles funèbres que Michel-Ange, enfermé pendant les nuits, étudiait, à la lueur de la lampe des morts, cette anatomie du corps humain dans tous les âges qui devint comme la charpente cachée de ses statues.

Tout lui promettait la richesse et la gloire sous les auspices des Médicis, ses patrons dans sa patrie, quand les Médicis eux-mêmes, expulsés de Florence par une révolution populaire, emportèrent avec eux la fortune de leur protégé. Michel-Ange, craignant les ressentiments du peuple contre les familiers de ceux qu'on appelait les tyrans de la patrie, s'évada de Florence et se réfugia d'abord à Bologne, puis à Venise. N'ayant trouvé à Venise ni protection ni travail, il revint à Bologne; on l'y jeta en prison comme un aventurier qui n'avait ni passe-port ni répondant. Un des membres du gouvernement, Aldovrandi, s'intéressa à sa jeunesse, le délivra de sa captivité et lui donna pendant un an l'hospitalité dans son palais. C'est dans la familiarité d'Aldovrandi, passionné pour la littérature, que le jeune Florentin s'exerça à la poésie en lisant à son hôte, charmé de son accent toscan, les vers de Dante, de Pétrarque et la prose de Boccace. Cet exil, qui reposait sa main et cultivait son esprit, cessa par un retour de fortune des Médicis rentrés à Florence. Michel-Ange y rentra avec eux. Une épreuve ingénieuse et involontaire de son talent le conduisit bientôt après à Rome. Il avait sculpté secrètement pour un riche Milanais, nommé Baldossari, un *Amour endormi*, qui fit l'admiration de son Mécène. Baldossari, ravi de cette œuvre, la porta à Rome, la fit enfouir dans une de ses vignes, voisine de Rome; puis, l'ayant fait découvrir comme par hasard dans une fouille, toute souillée et toute mutilée, la fit offrir au cardinal de Saint-Georges comme une statue antique. Le cardinal, dupe du subterfuge, n'hésita pas à la payer deux cents écus romains; mais, ayant été bientôt informé de la vérité, il perdit avec son illusion toute son admiration pour la statue. Elle fut vendue sous son véritable nom au duc de Valentinois, qui en fit présent à la duchesse de Mantoue, où elle est restée depuis, plus admirée qu'une œuvre antique. Les Romains raillèrent cruellement le cardinal, mauvais juge du mérite intrinsèque des œuvres d'art, et qui appréciait par la date ce qui doit être apprécié par le ciseau. La réputation de Michel-Ange se répandit rapidement à Rome par le bruit que fit cette supercherie de Baldossari. Le barbier du cardinal de Saint-Georges, qui se mêlait de peinture, employa le pinceau de Michel-Ange à corriger et à perfectionner ses misérables ébauches. Michel-Ange en fit des chefs-d'œuvre. Le barbier lui paya bien sa gloire usurpée. Le cardinal Borano lui commanda un groupe en marbre représentant le Christ mort descendu de la croix par les saintes femmes, œuvre que ne pensera jamais à rivaliser, dirent les artistes romains, aucun statuaire, en dessin, en grâce, en maniement assoupli du marbre. La mort, ajoutèrent-ils, n'y fut jamais aussi morte! C'est un vrai miracle qu'en si peu de temps la pierre informe et brute se soit transfigurée en une telle perfection de vie, d'attitude, d'expression, de langueur, de pathétique et de piété.

Ce groupe fut placé dans le temple de Mars, devenu un sanctuaire de la Vierge. Les Romains et les étrangers s'y rendaient en masse pour l'admirer. Michel-Ange, pour étudier sur l'impression de la multitude les beautés ou les imperfections de son œuvre, se confondait quelquefois, inconnu, au milieu de la foule. Il entendit un jour deux étrangers qui attribuaient, par ignorance, ce groupe au ciseau d'un autre sculpteur romain; bien que Michel-Ange n'eût pas l'habitude de marquer ses œuvres d'un autre signe que leur immortelle perfection, il craignit cette fois que le temps ou l'erreur populaire ne lui dérobât sa gloire, et, rentrant la nuit dans la chapelle, il grava son nom en petits caractères sur l'étroite ceinture qui retient la robe de la Vierge au-dessous du sein.

VI

Rappelé à cette époque par les magistrats de Florence, il enrichit pendant quelques années les monuments de sa patrie de marbres immortels. Sans rival déjà parmi les sculpteurs du siècle, il rivalisait en se jouant les maîtres de la peinture, indifférent à l'instrument et à la matière, pourvu qu'il reproduisît la forme, l'attitude, le contour ou la couleur en toute chose créée ou pensée. Au lieu de parole, la nature semblait lui avoir donné le dessin, hiéroglyphe vivant et universel de la création. L'époque lui réservait à égaler ou à vaincre tour à tour les deux artistes les plus inimitables et les plus invincibles des siècles modernes: Léonard de Vinci et Raphaël d'Urbin; Léonard de Vinci appelé de Milan à Florence pour peindre à fresque la vaste salle du conseil, dans le palais d'État. Le gonfalonier de Florence, Sadevini, fier de son compatriote, donna à peindre à Michel-Ange la moitié de la même salle en concurrence avec Léonard de Vinci. Michel-Ange y peignit les scènes nationales de la guerre des Florentins contre Pise. Le dessin du tableau principal qu'il composa pour lutter face à face avec Léonard représentait une alerte imaginaire de l'armée florentine surprise par l'approche des Pisans pendant une halte au bord de l'Arno, où les soldats se baignaient après une longue marche. Cette ingénieuse invention du sujet fournissait à Michel-Ange l'occasion et le prétexte d'exceller dans la représentation du nu et de peindre des hommes au lieu de peindre des vêtements. Les écrivains florentins décrivent ce carton de Michel-Ange comme un poëme national, prélude du poëme universel de son *Jugement dernier*, et nullement inférieur à ce prodige du crayon et du pinceau:

«Pendant que les soldats sortaient en hâte des ondes ruisselantes sur leurs membres, on voyait parmi eux, dit Vasari, par la main divine de Michel-Ange, la figure d'un vétéran qui, pour s'ombrager du soleil pendant le bain, s'était coiffé la tête d'une guirlande de lierre, lequel s'étant accroupi sur le sable pour remettre sa chaussure que l'humidité de ses jambes empêchait de glisser sur sa peau, et entendant en même temps les cris de ses compagnons et le roulement du tambour appelant aux armes, se hâtait pour faire entrer de force son pied dans sa chaussure mouillée; en outre, ajoute Vasari, que tous les muscles et tous les nerfs du vétéran se dessinaient en saillie dans l'effort, toute sa physionomie exprimait son angoisse, depuis la bouche jusqu'à l'extrémité de ses pieds. On y voyait encore des tambours, des sonneurs de clairons, et d'autres figures innombrables, leurs habits empaquetés sous le bras, qui couraient tout nus vers la mêlée, et des attitudes pittoresques s'y prêtaient à tous les jeux du pinceau, les uns debout, les autres agenouillés, ceux-ci pliés en deux, ceux-là se relevant de terre, tous formant des groupes admirablement combinés pour faire éclater la supériorité de l'artiste dans cette partie de l'art. Aussi tous les hommes de cette profession resteront-ils stupéfaits d'admiration en contemplant cette extrémité de l'art atteinte et dépassée par l'ébauche de ce tableau que Michel-Ange leur découvrit; d'où ceux qui contemplèrent ces figures surnaturelles confessèrent unanimement que jamais, ni de la main d'aucun artiste, ni de la main de Michel-Ange lui-même, rien n'avait jamais été vu qui attestât par aucun génie une telle divinité de l'art.

«Et certes, poursuit le commentateur florentin, on peut les croire, car, quand le carton eut été terminé et exposé comme modèle à Rome, dans la salle du pape, tous ceux qui étudièrent ce chef-d'œuvre et qui s'efforcèrent d'y copier la nature, excellèrent dans leur art, tels que Sangallo, Ghirlandaïo, Bandinelli, André del Sarto, et enfin Raphaël d'Urbin. Et c'est pour cela que cette merveille, devenue ainsi un objet d'étude et de reproduction éternel pour les artistes du dessin, fut transportée au palais des Médicis, dans la grande salle d'en haut, d'où il arriva que livré avec trop de confiance aux mains des artistes, on négligea de le surveiller pendant la maladie de Julien de Médicis, et il fut lacéré par eux en plusieurs lambeaux dont chacun emporta ici et là une relique dans toutes les villes d'Italie!

VII

La renommée de Michel-Ange s'accrut tellement à Rome par le groupe de la *Pieta* et à Florence par ce tableau et par ses marbres, qu'à la mort d'Alexandre VI et à l'avénement de Jules II au pontificat, ce pape l'appela immédiatement à Rome pour lui confier l'exécution de son propre tombeau. Le goût des arts était tellement universel à cette époque en Italie, qu'un tombeau de marbre, sculpté par la main d'un Phidias moderne, paraissait un monument suffisant à tout un règne et que les papes, à l'exemple des Pharaons, croyaient construire eux-mêmes leur mémoire en construisant, dès leur couronnement, leur sépulcre.

Michel-Ange, qui n'avait encore que vingt-neuf ans, accourut à Rome, heureux d'avoir été choisi pour associer sa propre mémoire dans un monument impérissable à celle d'un souverain de Rome et du pontife de toute la chrétienté. On voit, dans la suite de la vie de Michel-Ange, que ce tombeau, conçu, commencé, interrompu, repris, abandonné, presque achevé, jamais fini, fut l'œuvre capitale et favorite du grand artiste, le rêve, le réveil, l'espoir et le désespoir de sa vie, poëme de marbre dont les vicissitudes du sort déchiraient les pages à mesure qu'il les avait composées et qu'il s'efforçait de les réunir. Le pape, ébloui lui-même du plan de ce sépulcre monumental et animé de statues vivantes dont Michel-Ange lui présenta le modèle, sentit s'élargir en lui son orgueil posthume aux proportions du génie de son statuaire. Il ne trouva que l'église de Saint-Pierre de Rome d'assez solennelle et d'assez sainte pour contenir ce tombeau, et il résolut, de ce jour-là, d'agrandir le temple pour envelopper le sépulcre. En plaçant sa cendre à côté de celle des apôtres et sous la consécration de l'art, il crut la consacrer deux fois au respect de l'avenir. Il se hâta, quoique très-jeune encore, d'envoyer Michel-Ange à Carrare pour faire excaver et transporter à Rome les blocs de marbre nécessaires à l'immensité du monument. Michel-Ange passa huit mois dans les montagnes de Carrare, ébloui des masses et de l'éclat du marbre où il taillait en imagination des poëmes de pierre, restés faute d'argent et de temps dans les grottes de Carrare. Il embarqua sur la mer et il fit remonter par le Tibre jusqu'à Rome une telle quantité de blocs de marbre, que la place entière de Saint-Pierre, plus vaste alors qu'aujourd'hui avant la construction des colonnades, en fut couverte comme une carrière. Les Romains étonnés se demandaient quelles mains pouvaient mouvoir et quelle pensée ordonner ces débris de montagnes de marbre jonchant le sol, sous l'ombre du môle d'Adrien!

VIII

Michel-Ange s'était construit un atelier pour tailler les statues de sa main sur ce champ de bataille. Le pape se plaisait à voir le génie du plus grand artiste de l'Europe travailler à sa propre immortalité. Pour venir plus commodément et plus familièrement assister au travail de son statuaire, il avait fait construire un pont-levis couvert par lequel il venait, sans être vu, du Vatican à l'atelier. La description du tombeau de Jules II, tel que Michel-Ange l'avait conçu, serait tout un poëme funéraire et demanderait des pages sans nombre. Qu'on imagine l'invention libre dans la tête de Michel-Ange, les trésors de la catholicité à sa disposition, le ciseau dans sa main, le pape devant lui applaudissant à sa propre apothéose. La mort de Jules II devança le sépulcre. Le ciseau tomba de la main de Michel-Ange. Des nombreuses statues qui devaient surmonter les corniches et décorer les quatre faces du tombeau, douze seulement étaient ébauchées, quatre achevées, deux accomplies. L'une de ces deux statues symboliques représentait dans saint Paul l'*Action*; l'autre dans *Moïse*, la contemplation ou la législation de l'homme d'État. La statue colossale de Moïse, dont la tête, reproduite depuis dans toutes les langues du dessin, s'est gravée dans la pensée des hommes comme une œuvre de la nature, n'a pas besoin d'être décrite pour être immortelle. C'est le confident de la sagesse et de la terreur de Jéhovah, le Jupiter Tonnant de l'Olympe biblique, la crainte de Dieu rendue visible aux hommes, l'autorité de la loi attestée par l'éclair de l'illumination, le commandement divin, infaillible et absolu fait homme, mais conservant dans son humanité la majesté du Dieu qu'on sent derrière l'homme. Il est assis comme l'éternité: d'une main, il tient les lois, symbole de la société; de l'autre il tient sa barbe touffue, symbole de la force; cette barbe descend en ondes si épaisses, si prodigues et si harmonieusement tressées sur sa poitrine, qu'on croit voir découler dans la multitude des tresses, des ondes, des poils qui les composent, la multitude innombrable des générations du peuple de Dieu. Elle est évidemment dans la pensée de Michel-Ange une allusion à *l'ordre dans l'infini*. Quant au rayonnement de la face; quant à cette terreur d'intelligence qu'elle inspire au regard; quant à ce reflet de divinité que le visage semble avoir contracté dans le commerce divin avec le feu du buisson, tout cela est tellement surhumain qu'on est tenté de s'écrier, comme le commentateur italien de cette statue, avec les Hébreux éblouis: «Mettez un voile sur votre face, car nous ne pouvons en supporter l'éclat!» C'est l'Apollon hébraïque, mais un Apollon mûr, impérieux, redoutable, qui commande et qui tue au lieu d'inspirer. Jamais l'esprit de la Bible ne prit un corps plus imposant dans un bloc de pierre. C'est que Michel-Ange lui-même était le prophète de la pierre; dans un autre âge, cet homme aurait taillé des dieux.

Les juifs de Rome trouvèrent la figure de leur législateur tellement divinisée par Michel-Ange, qu'ils ne cessèrent plus, depuis le jour où la statue fut dévoilée au public, d'aller le jour du sabbat contempler leur prophète transfiguré en marbre avant le jour de la suprême transfiguration.

Quarante statues de marbre dessinées et taillées par Michel-Ange devaient personnifier, à la suite du Moïse, l'Ancien et le Nouveau Testament évoqués autour du tombeau du dernier pontife.

IX

Le caractère de Michel-Ange participait de la fougue de son génie; la porte du Vatican lui ayant été refusée un jour que le pape avait interdit l'accès de ses appartements à ses familiers, il s'évada de Rome, fil vendre ses meubles et ses habits, abandonna tous ses travaux entrepris et se réfugia à Florence. La réconciliation entre le pape et lui se fit, avec un redoublement de crédit et de faveur, à Bologne, au prix de quelques chefs-d'œuvre de plus que Michel-Ange exécuta dans cette ville pontificale, pendant le séjour du pape.—«Il faut bien que je vienne à toi, lui dit le souverain pontife, puisque tu t'obstines à ne pas revenir toi-même à moi!»

Les rivaux de Michel-Ange, et principalement Bramante, l'architecte primitif de Saint-Pierre de Rome, étaient jaloux de l'empire universel que Michel-Ange usurpait sur toutes les œuvres monumentales du règne. Ils persuadent au pape de suspendre l'œuvre du tombeau et de charger Michel-Ange de peindre la voûte de la chapelle Sixtine. Ils espéraient que son infériorité en peinture devant Raphaël et son école, ruinerait le crédit du grand sculpteur. Michel-Ange, qui flairait le piége, ajourna longtemps l'exécution des ordres du pape; à la fin, la colère de son protecteur ne lui laissa plus d'excuse. Quinze mille écus romains lui furent assignés pour les frais et pour la récompense de cet immense travail. Michel-Ange fit venir de Florence à Rome les meilleurs peintres à fresque de la Toscane pour l'assister dans son œuvre; mais bientôt, mécontent de leur pinceau trop inégal à son génie, il les congédia tous et, s'enfermant dans la vaste enceinte dont il fit murer les portes à l'exception d'une étroite issue dont il emportait la clef, il conçut, dessina et peignit seul ce poëme de l'infini qu'il avait osé tenter. L'univers connaît cette chapelle du Vatican, dont les murs et les voûtes, animées et colorées par le pinceau d'un seul homme, semblent avoir été changés par un Verbe créateur en monde des vivants et en monde des morts, comparaissant dans toutes les attitudes de la terre, de l'enfer et du ciel, sous les regards de la Trinité divine qui évoque son œuvre pour la juger.

Si jamais l'imagination d'un mortel se jouant des formes et des couleurs pour reproduire la création par l'image, donna quelque idée de la conception divine se jouant dans sa puissance créatrice des temps, des espaces, des éléments, des êtres naissant et disparaissant sous ses yeux, c'est dans ce monde du pinceau de la chapelle Sixtine qu'il faut chercher, bien plus que dans la *Divine Comédie* de Dante, cette *divine comédie* de l'infini. Quand on promène ses regards autour de cette salle du *Jugement dernier*, de la base aux murailles, des corniches à la voûte, on éprouve un vertige des yeux tout à fait semblable à ce vertige de l'âme éprouvé par la pensée, quand, dans une nuit sereine et profonde, on se plonge dans l'infini du firmament, dont les avenues d'étoiles illuminent la voie en reculant sans cesse le fond. On commence par le trouble, on arrive à l'enthousiasme, on finit par l'anéantissement. Michel-Ange a dépassé l'homme; il est devenu là le Prométhée de l'imagination; le poëme vainement ébauché par le Dante, il l'a accompli avec le pinceau. La voûte chante mieux que les chantres de l'autel l'*Hozanna* visible et palpable de la création.

X

Le peintre, pendant cette longue gestation et ce long enfantement du chef-d'œuvre des chefs-d'œuvre, avait tellement le sentiment du mystère et, pour ainsi dire, de la divinité de sa peinture qu'il ne permettait pas même au pape de venir la profaner d'un regard curieux. À la fin, le pontife, impatienté de cette longue attente, viola l'enceinte, fit renverser les échafaudages, déchirer les toiles qui masquaient la voûte et jeta une longue exclamation de joie et d'admiration. Bramante pâlit de terreur; Raphaël, qui s'était glissé dans la chapelle, confondu dans la suite du pape, oublia tout ce qu'il avait appris jusqu'à ce jour et comprit que la force faisait partie de la beauté, dans l'art comme dans la nature. En artiste souverain qu'il était lui-même, il ne conçut pour toute envie qu'une émulation respectueuse pour un génie qui n'éclipsait pas le sien, mais qui l'illuminait d'une révélation nouvelle. Il rentra dans son atelier et peignit les prophètes et les sibylles où l'on sent, si l'on ose ainsi parler, l'accent biblique, viril, héroïque de Michel-Ange. Bramante voulut en vain obtenir du pape que Raphaël fût admis à peindre dans la chapelle non encore terminée la façade opposée à celle du *Jugement dernier*. Michel-Ange s'indigna contre Bramante, qui voulait atténuer une gloire par une autre; Raphaël éluda modestement lui-même ce défi, le pape ne consentit pas à dégrader le talent qui faisait l'éclat de son règne. Michel-Ange en deux ans acheva son œuvre. Les siècles ne l'effaceront ni ne la renouvelleront jamais. Michel-Ange y avait perdu son temps, sa fortune et ses yeux; sa vue resta plusieurs années affaiblie par l'attitude forcée de la tête, qu'il avait dû renverser en peignant la voûte. Tout grand ouvrier en philosophie, en religion, en politique ou en art, laisse de sa vie dans son œuvre. L'homme n'a que lui-même à dépenser dans ce qu'il fait. Mais la renommée de Michel-Ange éclata de la chapelle Sixtine comme une illumination du Vatican. L'Italie et l'Europe furent pleines de son nom. Il n'y eut plus de miracles qu'on n'attendît de lui.

XI

Léon X, qui succéda peu de temps après à Jules II, était un de ces jeunes Médicis que Michel-Ange avait familièrement fréquentés dans son enfance. Ce pape, plus athénien que romain, était le Périclès naturel de cet autre Phidias. Il fit suspendre une seconde fois à Michel-Ange l'achèvement du tombeau de Jules II et l'envoya à Florence pour bâtir et décorer l'église funéraire de *San Lorenzo*, ce tombeau de sa propre famille. Être enseveli dans un temple et dans des sarcophages décorés de la main de Michel-Ange paraissait aux Médicis une fortune dans la postérité égale à leur fortune dans le temps. La terre donne des empires; le ciel seul donne la gloire aux règnes. Cette gloire est dans les grands hommes qui les illustrèrent. Le siècle de Léon X ou des Médicis égalait, à cet égard, celui de Périclès. L'Italie, sous leurs auspices, avait une seconde fécondité du printemps, supérieure, en ce qui concerne les arts, à celui d'Auguste. La Rome d'Auguste imitait lourdement la Grèce; la Rome de Léon X et la Florence des Médicis inventaient un art, une poésie, une philosophie plus attiques que la Rome des Césars; on peut même ajouter plus italiennes encore qu'attiques. C'était une floraison de l'esprit humain plus luxuriante sur des ruines; un confluent du paganisme retrouvé et du christianisme; confluent étrange et adultère, sans doute, mais productif pour l'imagination, pour l'art et pour la littérature, comme ces unions illicites, plus fécondes souvent que les unions légales, le vice même, la licence des dogmes, des idées, des mœurs y favorisant les libertés du génie; phénomène étrange entre tous les grands siècles! L'absence d'idée fondamentale et créatrice et le désordre d'idées incohérentes semblaient par ses aberrations mêmes y grandir l'esprit humain. L'éclectisme païen, déiste, chrétien, universel, n'ayant pour foi que le beau, pour gloire que l'art, pour culte que des pompes, pour morale que le plaisir sous les auspices d'un pontife lettré versant à l'Italie renaissante les tributs du monde; tel était le caractère du siècle de Léon X. Si le scepticisme osait jamais revendiquer son siècle, on ne pourrait lui contester celui-là; il fut la grande orgie de la pensée italienne, bruyant, éclatant, scandaleux et court, comme une orgie entre des tombeaux; une grande débauche de l'esprit humain; mais du sein de cette débauche, il jeta une lueur immense sur la terre et il laissa dans les lettres et dans les arts plus de monuments que les dix siècles de barbarie qui l'avaient précédé et que les quatre siècles de civilisation disciplinée qui l'ont suivi: argument bizarre, mais argument sans réplique en faveur des libertés et des licences même de la pensée. Si la morale en souffrit, l'imagination en profita. Ce fut sur la jeunesse du christianisme, la puberté du moyen âge, le *jubilé* donné par la papauté au monde.

XII

Michel-Ange, revenu à Florence dans toute la force de ses années, de sa renommée, de sa faveur chez les Médicis et de son génie, s'y consacra tout entier à ses tombeaux de San Lorenzo. Il était dans sa destinée d'avoir pour monuments des sépulcres, depuis celui de Jules II non achevé, et celui des Médicis qu'il allait construire, jusqu'à celui de l'apôtre saint Pierre qu'il devait bientôt élever dans le ciel.

La mort de Léon X, ce patron de l'art, suspendit encore une fois les conceptions ébauchées de Michel-Ange pour la construction des tombeaux des Médicis à San Lorenzo. Pendant le court pontificat d'Adrien VII, l'artiste découragé ne rentra pas à Rome. Il s'occupa silencieusement dans ses ateliers de Florence de tailler quelques-unes des quarante statues qu'il avait dessinées sous Jules II pour le monument de ce pape. Mais Clément VII, aussi fervent que Léon X pour l'embellissement de la capitale du monde chrétien, ne tarda pas à rappeler à Rome l'homme que la Providence semblait avoir marqué de son sceau pour devenir l'*Esdras* du catholicisme. Le pape, après un long entretien avec lui sur l'agrandissement de Saint-Pierre de Rome, lui permit d'aller mûrir ses idées sur cet édifice en achevant à Florence les tombeaux des Médicis commencés. Ce fut alors que Michel-Ange sculpta pour les sépulcres de Julien et de Cosme de Médicis les quatre statues du *Jour* et de la *Nuit*, du *Crépuscule* et de l'*Aurore*. «Statues, dit Vasari, qui, par la beauté accomplie des formes, par la majesté des attitudes, par la nature surhumaine des physionomies et par la perfection du travail du marbre devenu chair et muscles sous ses mains, suffiraient pour reporter l'art à son apogée, si les vestiges de l'antiquité n'existaient pas.» On reste frappé de stupeur en admirant, à côté de ces statues symboliques, les deux célèbres figures de *Laurent* et de *Julien* de Médicis; l'une, appelée le *Penseur*, parce que jamais la mélancolie muette de la méditation ne fut gravée en ombres plus transparentes et plus mouvantes sur une physionomie humaine; l'autre appelée le *Guerrier* parce que jamais la mâle beauté du soldat ne revêtit une expression à la fois plus calme et plus fière. Nous avons éprouvé bien souvent nous-même, aux différentes heures de la journée qui diversifient l'effet de l'ombre ou de la lumière sur ces marbres, la magie du ciseau de Michel-Ange autour de ces tombeaux. À l'exception de quelques tronçons des marbres de Phidias dorés par le soleil levant de l'Attique sur le fronton du Parthénon, aucun sculpteur ne transmit jamais mieux à nos sens et à notre âme la vie immortelle du marbre et la pensée immatérialisée dans la matière. Quiconque a passé seul une heure à San Lorenzo, dans la chapelle des tombeaux, au lever ou au déclin du jour, peut dire qu'il a respiré l'âme de Michel-Ange et qu'il s'est entretenu avec le grand mort qui revit éternellement de la vie de ses marbres.

La statue incomparable de l'*Aurore* qui se réveille et celle de la *Nuit* qui songe en s'assombrissant ont inspiré aux poëtes des apostrophes lyriques, célèbres dans la littérature de tous les temps. La poésie, qui cherche ses images dans la nature, a trouvé cette fois l'art assez surnaturel pour lui emprunter ses similitudes. Le colosse de Memnon, en Égypte, n'a pas inspiré aux poëtes plus d'illusions que la statue du *Penseur*, que celle de la *Nuit* ou que celle de l'*Aurore*.

Peu de jours après que ces marbres furent découverts, on trouva les vers suivants gravés sur le socle de la statue de la *Nuit*:

La Nuit, que tu contemples dans une si gracieuse attitude,
Dormir, a été sculptée par la main d'un demi-dieu,
Dans ce bloc; et puisqu'elle dort, elle respire;
Réveille-la, si ta en doutes, et elle va te parler!

Michel-Ange, déjà las d'un art muet et qui commençait à cultiver l'art qui parle, consterné en ce moment des guerres civiles et des tyrannies qui désolaient sa patrie, répondit, au nom de la statue de la *Nuit*, à son interlocuteur anonyme, par ces vers qui valent un coup de ciseau ou un coup de poignard:

Il m'est doux de dormir, et plus doux d'être de pierre
Pendant que le malheur et la honte de l'Italie durent!
Ne pas voir, ne pas sentir, m'est un grand bonheur!
Ainsi ne m'éveille pas! je t'en conjure, parle bas!

Ses concitoyens, à cette époque, le nommèrent un des neuf commissaires de la guerre, chargés de fortifier la ville. Il déploya dans la science des fortifications le même talent et le même zèle que dans les constructions de San Lorenzo ou du monument de Jules II. C'est le moment de sa vie où le dégoût de l'esprit de parti et l'horreur des compétitions de pouvoir entre les Médicis et leurs rivaux le rejetèrent de plus en plus dans la pure passion de la liberté républicaine. Cette généreuse passion devait le tromper comme les autres. Mais, du moins, elle ne le rendait pas solidaire des tyrans de sa patrie. On ne sait quel accent de liberté classique, souvenir de l'antiquité, ranimé par les maux présents, se fait sentir depuis ce jour dans ses vers, dans ses lettres comme dans ses marbres. Son buste inachevé de Brutus, qu'on voit dans le musée de Florence, doit être de ce temps. Ce n'est qu'une ébauche à grands coups de maillet; mais cette ébauche respire la liberté jusqu'à la mort, et le patriotisme jusqu'à la férocité. C'est le buste de la *Conspiration.*

XIII

À la mort du grand architecte San Gallo qui, avec Bramante, avait conçu, dessiné et surveillé les plans primitifs de Saint-Pierre de Rome, Michel-Ange parut le seul homme capable de rectifier et et de diviniser ce Parthénon chrétien. Sous trois autres papes et pendant dix-sept années consécutives, il fit de cet édifice le poëme de sa vie. C'était le seul édifice, en effet, digne de contenir son génie. L'histoire ne doit dérober ni à San Gallo ni à Bramante la gloire d'avoir conçu, exhaussé sur ses premières assises et fondé le plus vaste, le plus magnifique temple du culte moderne. Mais Michel-Ange l'affermit, le simplifia, l'éclaira, donna à ses piliers les muscles qui leur manquaient pour *porter un Panthéon dans le ciel*, le décora de son *unité*, de sa *lumière*, de son *harmonie*, ces trois attributs de la Divinité qu'il renferme, et mit, pour ainsi dire et pour la première fois, le christianisme en plein jour et en plein firmament; enfin il fit le modèle, il commença les premières courbes de cette immense et sublime coupole qui écraserait le sol, si elle ne paraissait soutenue par le miracle de la pensée qui l'éleva dans les airs; il attacha à jamais ainsi son nom et sa mémoire au plus grand acte de foi que l'humanité moderne ait construit en pierres. Saint-Pierre de Rome, grâce à Michel-Ange, est le relief d'une religion sur le globe. Ses débris, comme ceux des pyramides, de Thèbes, de Palmyre ou de Balbek, feront encore la stupeur de l'homme qui ose incarner ainsi ses dieux.

Ces grands et continuels travaux, consacrés à Saint-Pierre de Rome, ne suffisaient pas à l'activité de son âme et de sa main. Il sculptait, il peignait, il chantait au bruit des milliers de scies, de marteaux, de truelles qui exécutaient le jour, en travertin, en marbre, en porphyre, la pensée de ses nuits. Comme son *Moïse*, au milieu de tout ce tumulte de l'édifice en construction, il cherchait l'inspiration dans la solitude. Les grands hommes, comme les grandes choses, recherchent d'instinct l'isolement. Les hommes les offusquent; il ne leur faut que leur ombre. L'entretien de Michel-Ange avec lui-même avait besoin de ce silence où l'homme s'entend penser. Sa seule volupté était de s'enfermer dans l'atelier mystérieux que le pape Jules II lui avait fait construire au milieu de ses blocs accumulés sur la rive du Tibre, ou d'errer, pendant des journées entières, dans la Campagne de Rome, parmi les tombeaux de la voie Appienne. Sa vie, tout opposée à celle de Raphaël, ivre de jeunesse, d'amour et de luxe, était celle d'un cénobite.

Jusque-là il n'avait point aimé; une femme qu'il avait épousée et perdue dans sa jeunesse lui avait laissé, si l'on en juge par quelques expressions de ses lettres, un souvenir amer du mariage. Il n'avait dans sa maison ni femme, ni enfant, ni parent. Un vieux serviteur florentin, nommé Urbin, du lieu de sa naissance, composait toute sa domesticité. Une lettre touchante, conservée par son ami Georges Vasari, à qui il ouvrait son âme dans une correspondance fréquente, atteste l'attachement paternel qu'il avait pour ce serviteur de ses longues années.

«Mon cher Giorgio, lui dit-il dans cette admirable lettre, je n'ai plus le courage d'écrire; cependant, en réponse à votre lettre, il faut bien vous écrire quelque chose. Vous savez comment mon pauvre Urbin est mort: ce qui a été tout à la fois pour moi une grande grâce de Dieu et une grande et infinie douleur. La grâce de Dieu a été que, puisqu'il veut que je vive encore ici-bas, il m'a enseigné par cette mort à mourir moi-même non-seulement sans regret, mais encore avec un immense désir de mourir. J'ai eu chez moi Urbin pendant vingt-sept ans, et je l'ai toujours éprouvé fidèle et admirable serviteur; et maintenant que je l'avais fait riche et que je comptais sur lui comme sur le bâton et le repos de ma vieillesse qui s'approche, il m'est enlevé, et il ne m'est resté d'autre espérance que de le revoir en paradis; et ainsi Dieu m'a fait entendre par la bienheureuse mort qu'Urbin a faite que ce véritable ami regrettait bien moins de mourir que de me laisser en proie à tant d'angoisse dans ce monde traître et pervers, bien que la meilleure part de moi-même s'en soit allée avec lui et qu'il ne me reste qu'une misère infinie. Je me recommande à vous.»

XIV

La mélancolie, qui est la lie des âmes profondes et le trouble des cœurs sensibles, s'accrut dans Michel-Ange par cette perte de son unique ami à Rome. Mais un platonique et mystérieux amour, plus semblable à un culte qu'à une passion, lui laissait depuis longtemps un pan de ciel encore ouvert à travers les nuages de sa vie. En scrutant l'âme des plus grands hommes, il est rare de n'y pas découvrir dans une mystérieuse tendresse la source vive et cachée de l'inspiration, de la tristesse ou de la félicité. Quand cette source n'a pas coulé dans la jeunesse, elle coule dans la maturité et même dans la vieillesse, mais alors elle se cache davantage, comme si l'homme rougissait, par une délicate pudeur de l'âme, de fleurir au delà de sa saison. L'amour qu'il ne veut pas avouer ni aux autres, ni à lui-même, ni à celle même qui l'inspire, se transforme en un sentiment exalté et mystique qui tient plus de la piété que de l'amour, piété humaine dont une femme adorée est l'idole, et qui se fond en une sorte de piété divine pour avoir le droit d'être éternelle; sentiment très-commun à cette époque et encore aujourd'hui, en Italie, où l'amour est saint; il a été donné à l'homme de sensibilité ou de génie, avancé en âge, pour le consoler de la jeunesse perdue et pour joindre la vie actuelle à la vie future dans un amour terrestre et dans un amour céleste devenus pour lui un seul amour. Platon, Dante et Pétrarque sont les théologiens et les poëtes de cette amoureuse mysticité. Michel-Ange, déjà mûr et vieillissant, mais toujours jeune de séve et de cœur, disciple de Dante et de Pétrarque, avait rencontré, comme ces grands hommes, pour son bonheur, sa Laure et sa Béatrix. Elle tient trop de place dans sa vie, dans ses œuvres, dans sa foi, dans son éternité même pour séparer deux noms qui ne furent si longtemps qu'une âme.

XV

Il y avait à Rome, au moment où Michel-Ange sculptait le groupe féminin de la *Pieta*, taillait *Moïse* dans le rocher et découvrait les fresques de la chapelle Sixtine, une jeune fille de dix-sept ans de la maison princière des Colonna. Sa mère était une fille du duc d'Urbin, un des premiers patrons de Michel-Ange adolescent, au moment où il suivait, hors de Florence, les Médicis dans l'exil. Son nom était Vittoria Colonna, nom devenu depuis immortel par l'amour, par la poésie et par la vertu. La nature l'avait douée de cette beauté à la fois majestueuse et tendre que les Romaines modernes semblent avoir ravie aux statues grecques qui décoraient leurs temples et leurs musées. Ses médailles, que nous possédons encore, sont des profils de la Vénus de Chypre, tempérés par la pudique sévérité du christianisme. Son âme, modelée sur les types hébraïques de l'antiquité; son esprit, cultivé dès son enfance par les philosophes, les théologiens, les poëtes, les artistes familiers de l'opulente maison Colonna, avaient fait de la belle Vittoria le miracle de l'Italie. À dix-sept ans, elle avait épousé le jeune marquis de Pescaire, du même âge qu'elle et à qui elle était fiancée depuis le berceau. Les deux époux étaient dignes l'un de l'autre, l'amour le plus tendre les unissait avant la volonté de leurs familles; mais l'héroïsme du jeune Pescaire l'arracha peu de temps après le mariage des bras de son amante. Général des armées espagnoles de Naples, illustre dès les premières campagnes par ses exploits, fait prisonnier en 1512, à la bataille de Ravennes, une correspondance amoureuse en vers entre sa jeune femme et lui leur révéla à l'un et à l'autre un talent poétique, seule consolation de leur captivité et de leur veuvage. Douze années de guerres firent de lui le premier général de son siècle et le bouclier de l'Italie. Les princes italiens, protégés par son épée, lui offrirent le royaume de Naples, s'il voulait tourner ses armes contre le roi de Naples, son suzerain. Vittoria Colonna, instruite de cette tentative, lui écrivit cette lettre où la vertu parle, dans ces temps corrompus, un langage digne de l'antiquité:

«Souvenez-vous, lui écrivit-elle, de votre vertu, qui vous élève au-dessus de la fortune et de la gloire des rois. Ce n'est point par la grandeur des États ou des titres, mais par la vertu seule que s'acquiert cet honneur, qu'il est glorieux de laisser à ses descendants. Pour moi, je ne désire point être la femme d'un roi, mais de ce grand capitaine qui avait su vaincre, non-seulement par sa valeur pendant la guerre, mais dans la paix, par sa magnanimité, les plus grands rois.»

Blessé à la bataille de Pavie en 1525, le marquis de Pescaire mourut de ses blessures à Milan. Sa veuve, qui accourait de Naples pour le rappeler à la vie, apprit son infortune en route. La douleur la tint muette pendant sept ans, n'exhalant ses gémissements que devant Dieu et devant l'image de son époux dans des poésies comparables aux *Tristes* d'Ovide, mais où le sentiment a l'amertume des larmes et l'onction de la prière. Aussi forte que Dante, moins ingénieuse que Pétrarque, Vittoria Colonna crie ses angoisses et ne les chante pas. Ses vers sanglotent comme son cœur, ses strophes n'ont d'autre harmonie que le déchirement de la corde qui résonne, mais en se brisant sous le coup. Elle avait juré de rester veuve à trente-cinq ans, quoique dans la fleur de sa beauté et de sa vie, convoitée par tous les princes de l'Italie. Sa douleur, adoucie par le temps, s'était convertie en une mélancolie pieuse qui ne cherchait son repos que dans l'ombre des cloîtres. Ses poésies, de jour en jour plus soulevées de terre et plus immatérialisées par le regret, cet amour chaste des chères mémoires, avaient pris le parfum, l'impalpabilité et les transparences des fumées d'encens dans le sanctuaire. Elles flottaient entre une tombe et le ciel, comme des nuées du soir sur un champ des morts.

Telle était la femme que l'enthousiasme pour ses œuvres rapprocha de Michel-Ange à l'âge où l'amour, qui se retire du cœur, laisse un vide qui ne peut être rempli que par ces dernières amitiés, presque aussi divines que nos premières sensations.

XVI

Les fréquentes absences de Vittoria Colonna de Rome et les voyages de Michel-Ange à Florence interrompaient souvent la délicieuse familiarité de leurs entretiens du soir au palais du connétable Colonna. Les *deux amants*, comme les appellent les artistes et les lettrés du temps dans leurs manuscrits, suppléaient à ces entretiens par un commerce de lettres et de poésies dont les bibliothèques d'Italie conservent beaucoup de traces. Les poésies de Michel-Ange, élevées par le pur amour au diapason mystique et platonique de la femme qui épure son âme en l'embrasant, ont dans leurs vers quelque chose de viril, de fruste et d'ébauché qui rappelle le coup de ciseau magistral mais inachevé du buste de Brutus. On sent le premier jet, mais le premier jet d'une pensée forte. On s'étonne que cette force du Titan du marbre et du pinceau puisse se plier, s'attendrir et s'efféminer jusqu'à la rêverie mystique et jusqu'à la dévotion langoureuse de l'amour divin. On sent sur ce mâle génie l'influence d'une femme, qui de son type de beauté physique, est devenue insensiblement son type de beauté morale, et qui l'entraîne par son exemple aux sommets de la pensée contemplative, ce dernier repos des cœurs aimants et des esprits lassés de la vie. Nous ne citerons que quelques vers de ce dialogue poétique que la mort seule de Vittoria Colonna interrompit. Cette mort assombrit pour jamais l'horizon déjà sombre de la longue vie de Michel-Ange. La solitude de son âme ne fut plus qu'un entretien posthume avec *la chère âme* qu'il brûlait de rejoindre dans l'Élysée chrétien.

Mais avant de s'élever sur les traces de Vittoria Colonna jusqu'à la hauteur mystique des célestes amours qu'elle lui révéla, Michel-Ange avait aimé dans sa jeunesse. C'est l'amour qui l'avait fait poëte; on peut dire mieux: c'est l'amour qui fit toute poésie. Le sentiment le plus fort et le plus délicieux de l'âme cherche naturellement pour s'exprimer l'idiome le plus suave, le plus mélodieux et le plus coloré des idiomes. La prose naît de l'intelligence, le vers jaillit quand le cœur éclate.

Un écrivain qui s'est trompé de date en naissant, et qui aurait dû naître dans le siècle de Léon X, dont il a le zèle et la studieuse curiosité pour les lettres et pour les arts, le comte de Circourt, a découvert sur les lieux l'objet jusque-là inconnu des premiers vers de Michel-Ange. C'est un de ces mystères littéraires qu'il n'est pas moins curieux de sonder que le mystère de *Laure* pour *Pétrarque* ou de *Béatrice* pour *Dante.* Le secret du génie d'un grand homme est le plus souvent dans son cœur. Nous demandons à M. de Circourt la permission de le citer. Le trésor appartient d'abord à celui qui le découvre, il appartient ensuite à tous ceux qui en jouissent:

Michel-Ange était à Florence, en 1533, travaillant aux monuments des Médicis, pendant que l'État gémissait sous la tyrannie de l'abominable duc Alexandre, bâtard de Laurent, duc d'Urbin. Les vers qui suivent font allusion à cette condition de l'illustre république florentine. Ils sont restés inédits jusqu'en 1860.

La *femme* à qui le poëte s'adresse est la *Liberté* de Florence. Les *amants* de cette femme sont les citoyens de l'État.

La Liberté leur répond dans la seconde strophe. Il faut observer que le duc Alexandre, dont son cousin Lorenzo di Pier Francesco dei Médicis, délivra le monde, vivait au milieu de continuelles terreurs.

Voici les vers:

I

Per molti, Donna, auzi
Per mille amanti
Creata fosti, ed'angelica forma:
Or, par che in ciel si dorma,
Che un sol s'appropria quel
Ch'è doto a tutti.

Ritorma à'nostri pianti
Il sol degli occhi tuoi,
Dre par che schivi
Chi, per perdesto, in tal
Miseria è nato.

II

Deh, non turbate i vostri
Pensier santi:
Che chi di me par chevi
Spoglio privi,
Pel gran timor non gode
Il gran peccato.
Che degli amanti è men
Felicestato
Que l'ove gran voglia gran
Conia ingombra
Che una miseria di spesanza piona.

Ce sont les plus beaux vers de l'époque. En voici une faible traduction:

Florence à la Liberté:

«Ô femme, tu fus créée pour mille amants, dans la perfection de tes formes angéliques. On dirait aujourd'hui que dans le ciel la justice s'est endormie, puisqu'un seul s'approprie ce qui fut donné à tous. Rends à nos yeux baignés de larmes le soleil de tes regards, qui semble dédaigner le spectacle de notre misérable chute!»

La Liberté répond:

«Ah! ne troublez point la sérénité de vos saintes pensées! Celui qui semble vous éloigner et vous priver de moi perd par sa grande terreur la jouissance de son grand crime. L'état heureux des amants n'est pas celui où la jouissance amène la satiété: c'est une souffrance misérable, mais remplie d'espérance.»

Reprenons:

Celles des poésies de Michel-Ange qui chantent ce premier amour ont un accent de jeunesse et d'espérance vague qui les distinguent seules des vers inspirés par Vittoria Colonna dans une époque plus mûre de sa vie. Celles-là ont, pour ainsi dire, le découragement mélancolique d'ici-bas et la sainteté des hymnes chantés dans le sanctuaire de la vie à la lueur des cierges du soir. Nous n'en citerons que quelques fragments. Ce ne sont pas les œuvres, c'est la bouche que le lecteur veut connaître dans le grand artiste.

L'amant, le poëte et le statuaire se révèlent ensemble dans le troisième de ces sonnets de Michel-Ange. Nous essayons de le traduire.

XVII

«L'attrait de ce beau visage me soulève vers les cieux, car aucun autre charme de la terre ne délecte ma vue, et, grâce à cette beauté, je monte encore vivant parmi les esprits célestes, faveur qui fut accordée ici-bas à si peu de mortels!

«L'œuvre divine en elle manifeste tellement l'ouvrier, qu'elle me ravit à lui par des impressions aussi divines, et que j'y puise intarissablement mes idées, mes inspirations, mes œuvres, mes paroles, dans le feu dont je brûle pour l'angélique modèle!

«Si je ne puis détacher mes regards de ses yeux, c'est qu'en eux seuls je découvre ma vraie lumière, la lumière qui m'éclaire la route vers mon Dieu.

«Et si je me consume délicieusement dans leur clarté, c'est que je sens se refléter dans ma propre glace cette joie inextinguible qui dilate éternellement dans le ciel le cœur de ceux qui jouissent de l'éternelle beauté!»

XVIII

Et ailleurs, vraisemblablement pour Louise de Médicis, quand il ébauchait son buste perdu:

«Comment se fait-il, ô femme! qu'une image vivante, sculptée par le ciseau dans une pierre fruste et alpestre des montagnes, survive à celui dont elle fut l'ouvrage et qui dure lui-même si peu de jours?

«L'effet donc l'emporte ici-bas sur la cause et la nature est vaincue par l'art! Je le sais, moi l'ami et le confident de la sublime sculpture; moi qui vois chaque jour le temps m'échapper et tromper ma confiance en lui!

«Peut-être au moins puis-je, ô mon amour! nous donner à tous deux une longue vie, soit sur la toile, soit dans ce bloc, en y gravant notre âme et nos traits?

«En sorte que mille ans après notre départ d'ici-bas, on comprenne combien tu fus belle et combien je t'aimai, et combien la nature rendait impossible de ne pas t'aimer!»

La mort de Vittoria Colonna devint le texte habituel de ses derniers chants:

«Quand celle vers qui volaient tous et tant de mes soupirs fut, par la volonté divine, enlevée de la terre au firmament, la nature, qui ne s'admira jamais dans un si beau visage, parut attristée, et tous ceux qui l'avaient vue restèrent dans les larmes!

«Ô destinée cruelle de toutes mes aspirations trompées! ô espérances déçues! ô âme délivrée de ton enveloppe, où es-tu maintenant? La terre a recueilli ton beau corps et le ciel tes saintes pensées!...

. . . .
. . . .

Son vingt-deuxième sonnet sur le *Dante* prouve que son culte pour le génie égalait son culte pour la beauté, ou plutôt, comme on le voit dans son adoration pour Vittoria Colonna, que le génie et la beauté n'étaient pour lui qu'un seul culte.

Sonnet XXII, sur Dante.

«Ce qu'il y aurait à dire de *lui* ne pourra jamais être dit, car son génie s'alluma à des sphères trop hautes pour les mortels; il est plus aisé de flétrir ce vil peuple qui l'outragea que de s'élever jusqu'à l'éloge d'un tel poëte!

«Il descendit dans les royaumes du péché pour nous faire la leçon de nos fautes; puis il nous releva jusqu'à Dieu lui-même; le ciel ne refusa pas d'ouvrir ses portes à celui à qui sa patrie refusa d'ouvrir les siennes!

«Ingrate patrie, qui, en faisant son malheur, fais ta propre honte et qui montres ainsi une fois de plus que c'est aux plus parfaits et aux plus forts que sont réservées les plus glorieuses misères!

«Que son exemple serve pour mille, puisqu'il n'y eut jamais d'exil aussi indigne que son exil, comme il n'y eut jamais sur la terre un plus grand proscrit que lui!»

On voit que Michel-Ange sculptait de la plume comme du ciseau, et que son âme se construisait à elle-même des statues aussi mâles que son buste de *Brutus*.

Dans le sonnet suivant, il revient à son amour et à son deuil, et il défie le sort de ruiner davantage ses espérances, dans une image digne des prophètes:

«Que peut la scie ou le ver contre le chêne réduit déjà en cendres? s'écrie-t-il. Et n'est-ce pas une trop grande infamie à toi, ô destinée, de t'acharner sur celui qui a déjà perdu le souffle et la vie!»

Une dernière invocation à l'Amour par le souvenir, dans le vingt-quatrième sonnet, se tourne en piété, cet amour impérissable que la mort rapproche de sa possession éternelle:

«Ramène-moi au temps heureux, Amour! rends-moi le visage angélique dont la disparition a enlevé ta grâce et sa puissance à toute la nature.

«Et rends-moi cette ardeur à voler sur ses traces, à mes pas maintenant si seuls et si appesantis par le poids des années. Rends-moi ces torrents de larmes et ces foyers de flamme dans mon sein, si tu veux que je puisse pleurer et briller encore.

«Et s'il est vrai que tu ne vives que des sanglots à la fois doux et amers des mortels, que peux-tu attendre désormais d'un cœur stérilisé par la vieillesse? Il est temps que mon âme, arrivée au bord de l'autre rivage, saigne des blessures d'un autre amour et se consume d'un feu plus éternel.»

Le vieillard, toujours entier de génie à quatre-vingt-dix ans, restait comme un débris vénéré des règnes des quatre *Médicis* à Florence et de sept règnes de pontifes à Rome, comme pour surveiller la construction de l'édifice de Saint-Pierre, qu'il était seul capable parmi les hommes d'avoir conçu et de voir finir. Ses lettres à son ami Giorgio Vasari, à ce déclin de ses années, prouvent qu'il vivait seul à Rome dans la seule famille de ses disciples et de ses ouvriers. Par les conseils de Vasari, Cosme de Médicis écrivit au pape de veiller à ce que les dessins, les modèles, les ébauches, les reliques sans prix de la main de ce grand artiste fussent conservés à sa famille et au monde, dans le cas où des étrangers, à cause de son grand âge, tenteraient de dilapider ces trésors dans ses derniers jours ou après sa mort. Mais Michel-Ange lui-même, sentant venir son heure, écrivit à son neveu de prédilection, Lionardo Buonarroti, fils d'un de ses frères, de venir à Rome au commencement du carême, parce qu'il était temps de se dire adieu. À peine cette lettre était-elle écrite, qu'il fut saisi en effet d'une fièvre lente qui l'éteignit doucement, comme une lampe de nuit qui s'éteint dans le soleil levant. Il fit approcher son confesseur, son médecin, ses élèves favoris, et leur dicta en trois lignes son testament: «Je donne mon âme à Dieu, mon corps à la terre, mon bien à mes proches. Souvenez-vous, ajouta-t-il, au moment de mon agonie, de me rappeler les souffrances du Crucifié, afin de m'encourager par ce souvenir à ce passage!» Il n'eut pas besoin d'être soutenu par ses amis, il expira sans effort et comme on s'endort, le 17 février 1564, au coucher du soleil.

Florence et Rome se disputèrent ses funérailles. La patrie l'emporta: son corps, dérobé secrètement par les soins de son neveu, et transporté hors des murs dans un char couvert, de peur d'éveiller l'attention des Romains et d'exciter une sédition dans la ville, fut conduit à Florence. Le récit des honneurs qu'on y rendit à ses cendres atteste à quel degré le culte des arts de l'esprit et de la main fanatisait les princes et le peuple à cette époque de renaissance et de réaction contre la barbare ignorance du moyen âge. La sépulture de Michel-Ange à Florence égala en pompe, en foule, en solennité, un triomphe romain au Capitole. On dressa son catafalque et on déposa son corps sous ce dôme de San Lorenzo, au milieu de ces statues du *Jour* et de la *Nuit*, du *Crépuscule* et de l'*Aurore*, ses plus divines conceptions. Après cette halte de quelques mois dans sa gloire, les Florentins, trouvant point de temple assez vaste pour cette mémoire, lui élevèrent un sépulcre dans l'église de *Santa Croce*, avenue couverte des tombeaux des grands Toscans dont il est le plus grand. Son ami Giorgio Vasari y sculpta et y posa son buste. On y cherche les traits du Phidias chrétien, on n'y voit qu'un front proéminent creusé de rides transversales, des yeux encaissés dans des orbites osseuses, qui avaient, dit-on, les couleurs changeantes selon la pensée, des tempes profondément creusées par la vieillesse, des pommettes saillantes, des lèvres minces et fortement fermées, une barbe rare et courte, divisée sur le menton en deux bouquets, comme celle du bouc, un cou fortement noué à des épaules lourdes, l'altitude plus paysanesque que noble: en tout, point de beauté, mais une puissance plus robuste que nature, telle était l'enveloppe de cette âme, qui contenait, comme Socrate, la suprême beauté. La nature, qui se complaît plus souvent dans les analogies entre l'âme et la forme, se complaît aussi quelquefois dans les contrastes; mystérieuse en tout, adorable en tout; cependant le physionomiste qui déchiffre avec intelligence l'hiéroglyphe de la figure humaine, peut facilement ici percer le mystère. L'homme de génie purement littéraire, qui n'a pour œuvre que de sentir, de penser et de reproduire ses sentiments et ses pensées par la parole, peut concentrer toute sa force intellectuelle dans le siége inconnu de l'intelligence, et n'offrir aux yeux, sur son visage, que le miroir lucide et presque immatériel de sa pensée, la force de son âme est souvent attestée par la délicatesse et par l'immatérialité de son corps, la matière n'est qu'un poids pour lui; plus son intelligence s'en affranchit, plus elle est intellectuelle. Mais l'artiste qui manie le bloc et qui taille le marbre participe à la fois de l'esprit et de la matière, du poëte et de l'artisan; Dieu lui donne dans sa structure et dans son visage quelque chose de la masse et de l'aplomb de ses blocs; et cette force que le philosophe ou le poëte n'ont besoin d'avoir que dans les organes de la pensée, le statuaire doit l'avoir répartie dans tous les membres, depuis le front qui conçoit jusqu'au bras qui soulève et jusqu'à la main qui taille le marbre.

C'est sans doute dans les deux bustes de Socrate et de Michel-Ange qu'on trouve l'explication de leur rusticité de formes: manœuvres sublimes au bras de fer, pour faire jaillir de la matière rebelle l'impalpable et immatérielle beauté!

LAMARTINE.

FIN DE L'ENTRETIEN CLV.

Typ. de Rouge frères, Dunon et Fresné, rue du Four-St-Germain, 43

CLVI^{e} ENTRETIEN
MARIE STUART
(REINE D'ÉCOSSE)

I

Si un autre Homère devait renaître parmi les hommes, et si le poëte cherchait une autre Hélène pour en faire le sujet d'une épopée moderne de guerre ou de religion et d'amour, il ne pourrait la retrouver que dans Marie Stuart. La plus belle, la plus faible, la plus entraînante et la plus entraînée des femmes; créant sans cesse, par une irrésistible attraction autour d'elle, un tourbillon d'amour, d'ambition, de jalousie, où chacun de ses amants est tour à tour le motif, l'instrument, la victime d'un crime; passant, comme l'Hélène grecque, des bras d'un époux assassiné dans les bras d'un époux assassin; semant la guerre intestine, la guerre religieuse, la guerre étrangère sous tous ses pas et finissant par mourir en sainte, après avoir vécu en Clytemnestre; puis laissant une mémoire indécise, également défigurée par les deux partis: protestants et catholiques, les uns intéressés à tout flétrir, les autres à tout absoudre, comme si ces mêmes factions qui se l'arrachaient pendant sa vie devaient encore se l'arracher après sa mort! Voilà Marie Stuart.

Ce qu'un nouvel Homère n'a pas fait dans un poëme, un historien pathétique, éclairé des recherches d'autres historiens érudits, M. Dargaud l'a fait dans son Histoire de la reine d'Écosse. C'est sur les documents prodigieusement intéressants de M. Dargaud, mais dans un esprit souvent contraire, que nous allons recomposer nous-même cette figure, rapide ébauche d'un grand tableau.

II

Marie Stuart était la fille unique de Jacques V, roi d'Écosse, et de Marie de Lorraine, fille d'un duc de Guise. Elle était née en Écosse, le 8 décembre 1542. Son père était un de ces caractères aventureux, romanesques, galants, poétiques, qui laissent des traditions populaires de bravoure et de licence, dans l'imagination de leur pays, tels que François Ier et Henri IV, de France. Sa mère avait le génie grave, ambitieux et sectaire de ces princes de la maison de Guise, véritables Machabées des papes et du catholicisme de ce côté des Alpes.

Jacques V mourut jeune, en prophétisant à sa fille au berceau une destinée funeste. Cette prophétie était trop motivée par le sort d'une enfant livrée, pendant une longue minorité, aux dissensions d'un petit royaume, déchiré par les factions des grands seigneurs et du clergé, et convoité par un voisin aussi puissant que l'Angleterre. Le protestantisme et le catholicisme commençaient à ajouter à ces divisions le fanatisme des deux religions en présence. Le roi mourant avait, après de longues hésitations, adopté le parti catholique et proscrit le parti puritain. M. Dargaud voit, dans cette politique de Jacques V, la cause de la ruine de l'Écosse et des malheurs de Marie Stuart. Au premier regard, nous aurions été tenté de penser comme lui; mais, en regardant de plus près et en considérant, en politique, la situation générale de l'Europe, et la situation particulière de l'Écosse en ce moment, nous sommes resté convaincu que le parti catholique, adopté par le roi, était le seul parti de salut pour l'Écosse, si l'Écosse avait pu être sauvée. Ce ne fut pas le catholicisme de Marie Stuart qui perdit l'Écosse, ce furent sa jeunesse, sa légèreté, ses amours et ses crimes.

III

Où était, en effet, le vrai et permanent danger de l'Écosse? Il était dans le voisinage, dans l'ambition et dans la puissance de l'Angleterre. L'Écosse, une fois protestante, comme l'était, depuis Henri VIII, l'Angleterre, un des grands obstacles à l'absorption de l'Écosse par l'Angleterre disparaissait avec la différence de religion; le catholicisme était une partie du patriotisme écossais; l'y tuer dans les esprits, c'était tuer la patrie dans le cœur du peuple.

De plus, l'Écosse, sans cesse menacée de domination ou d'envahissement par l'Angleterre, avait besoin de puissantes alliances étrangères, en Europe, pour l'aider à conserver son indépendance et pour lui fournir l'appui moral et l'appui matériel nécessaires pour contre-balancer l'or et les armes des Anglais. Quelles étaient ces alliances sur le continent? La France, l'Italie, le pape, l'Espagne; elle ne vivait que de ces patronages imposants; là étaient ses parentés, ses vaisseaux, son or, sa diplomatie, ses armées auxiliaires. Or, toutes ces puissances, l'Italie, l'Espagne, la France, la maison d'Autriche, la maison de Lorraine avaient adopté avec fanatisme la cause du catholicisme contre les nouveautés. L'inquisition régnait à Madrid, la Saint-Barthélemy couvait en France; les Guise, oncles de Marie-Stuart, étaient le nœud de la Ligue qui allait proscrire Henri IV du trône pour soupçon d'hérésie. La communauté de religion pouvait donc seule coïntéresser les papes, l'Italie, l'Autriche, la France, la Lorraine à maintenir à main armée l'indépendance de l'Écosse. Le jour où elle cessait de faire partie du grand système catholique constitué sur le continent, elle tombait à la mer, elle n'avait plus pour alliée que son ennemie mortelle et naturelle, l'Angleterre. Nous ne parlons pas religion; mais, sous le rapport politique, pour Jacques V, s'allier au protestantisme, c'était s'allier à la mort. Le reproche de M. Dargaud à ce roi mourant nous paraît donc une erreur d'homme d'État, expliqué par une préoccupation qui est aussi la nôtre pour la liberté religieuse. Mais la liberté religieuse alors en Écosse n'était ni dans un camp ni dans l'autre. On tuait des deux côtés avec une égale férocité, et Knox, le bourreau des catholiques, n'était pas moins intolérant que le cardinal Beatoun, le proscripteur des puritains. Les rois n'avaient que le choix du sang, mais les fanatiques des deux communions leur demandaient de le répandre. La question était donc purement, pour eux, diplomatique. Nous croyons qu'en confiant sa fille à l'Europe catholique, Jacques V agissait en père et en roi prévoyant. Si la fortune trompa sa politique et sa tendresse, ce fut la faute de l'héritier et non la faute du testament.

IV

Sa veuve, Marie de Lorraine, privée de la régence par la jalousie des grands du royaume, la reconquit par son habileté et laissa gouverner, sous elle, des cardinaux, ministres habituels des trônes à cette époque. Sa fille lui était demandée par toutes les cours, non-seulement à cause de sa renommée précoce de génie et de beauté, mais surtout pour acquérir par un mariage avec elle un titre à la couronne d'Écosse, adjonction vivement convoitée à d'autres couronnes. Après un voyage en Lorraine et en France pour visiter les Guise, ses oncles, la reine se décida, par leur conseil, à fiancer sa fille au dauphin, fils de Henri II. Diane de Poitiers, l'Aspasie de ce siècle, gouvernait depuis vingt ans Henri II par l'amour qu'elle avait pour lui autant que par l'amour qu'il avait pour elle. On ne sait, en effet, lequel du roi ou de la maîtresse était le plus possédé ou le plus possédant des deux, tant ce sortilége de la passion d'un roi jeune pour une femme de cinquante ans était le miracle de la tendresse. Les Guise cultivaient Diane de Poitiers pour dominer le règne.

La reine d'Écosse, par leur conseil, laissa sa fille enfant au château de Saint-Germain, sous leur protection, pour y grandir dans l'air de la France, sur laquelle elle était destinée à régner un jour. «Votre fille est crûe et croît tous les jours en bonté, beauté et vertus, écrit le cardinal de Lorraine, son oncle, à la reine d'Écosse, après son retour d'Édimbourg; le roi passe bien son temps à deviser avec elle. Elle le sait aussi bien entretenir de bons et sages propos comme ferait une femme de vingt-cinq ans.» L'éducation toute lettrée et tout italienne de la jeune Écossaise achevait, en effet, tout ce qu'avait en elle ébauché une riche nature. Le français, l'italien, le grec, le latin, l'histoire, la théologie, la poésie, la musique, la danse se partageaient, sous les plus savants maîtres et sous les plus grands artistes, ses études. Dans cette cour raffinée et voluptueuse des Valois, gouvernée par une favorite, on l'élevait plutôt en courtisane accomplie qu'en reine future. On semblait moins préparer au dauphin une épouse qu'une maîtresse. Les Valois étaient les Médicis de la France.

V

Les poëtes de la cour commençaient de célébrer dans leurs vers les merveilles de sa figure et les trésors de son esprit:

En votre esprit le ciel s'est surmonté;
Nature et art ont en votre beauté
Mis tout le beau dont la beauté s'assemble,

écrit du Bellay, le Pétrarque du temps; Ronsard, qui en était le Virgile, trouve, toutes les fois qu'il en parle, des images, des suavités et des finesses d'accent qui prouvent que la louange venait de l'amour et que son cœur séduisait son génie. Marie était évidemment la Béatrix de ce grand poëte:

Au milieu du printemps entre les liz naquit
Son corps qui de blancheur les liz mesmes vainquit,
Et les roses, qui sont du sang d'Adonis teintes,
Furent par sa couleur de leur vermeil dépeintes;
Amour de ses beaux traits lui composa les yeux,
Et les Grâces, qui sont les trois filles des cieux,
De leurs dons les plus beaux cette princesse ornèrent,
Et pour mieux la servir les cieux abandonnèrent.

«Notre petite reinette écossaise, disait Catherine de Médicis elle-même, qui la voyait avec ombrage, n'a qu'à sourire pour tourner toutes les têtes françaises!»

L'enfant n'aimait pas non plus la reine italienne, elle l'appelait, dans son mépris enfantin pour la maison roturière des Médicis, *cette marchande florentine.* Ses prédilections étaient toutes pour Diane de Poitiers, qui sentait s'élever en elle une fille ou une émule future de beauté et d'empire. Diane chérissait de plus dans la jeune Écossaise une rivale ou une victime échappée à cette reine Elisabeth d'Angleterre qu'elle détestait. Ou retrouve les traces de cette aversion dans une lettre curieuse de Diane de Poitiers communiquée en autographe à l'historien de Marie-Stuart que nous suivons:

«*À madame ma bonne amie madame de Montaigu.*

«Madame ma bonne amie, on me vient de donner la relation de la pauvre jeune reine Jeanne Cray, décapitée à dix-sept ans, et ne me suis pu retenir de pleurer à ce doux et résigné langage qu'elle leur a tenu à ce dernier supplice. Car jamais ne vit-on si douce et accomplie princesse, et vous voyez qu'est à elles de périr sous les coups des méchants. Quand donc me viendrez-vous ici visiter, madame ma bonne amie, étant bien désireuse de votre vue, qui me ragaillardiroit en tous mes chagrins que fussent-ils que montant tout vous pèse et se tourne à mal contre vous? Eh bien, voyez ce qu'advient souvent de monter au dernier degré, qui feroit croire que l'abîme est en haut. Le messager d'Angleterre m'a rapporté plusieurs beaux habillements de ce pays esquels, si me venez voir promptement, aurez bonne part qui vous doit bien engager à partir du lieu où vous estes et à faire activement vos préparatifs pour me demeurer quelque temps, et donnerai bon ordre pour qu'il vous soit pourvu à tout. Ne me payez donc de belles paroles et promesses, mais je veux vous étreindre à deux bras pour de votre presence être sûre. Sur quoi, remettant à ce moment de vous embrasser, je supplierai Dieu très-dévotement qu'il vous garde en santé selon le désir de

«Votre affectionnée à vous aimer et servir.

«DIANE.»

Cette lettre, cette pitié, et cette magnifique expression trouvée: «on diroit que les précipices sont en haut», prouvent que le sortilége de Diane était dans son génie et dans son cœur autant que dans sa fabuleuse beauté.

La mort soudaine de Henri II, tué dans un tournoi par Montgomery, relégua Diane dans le château solitaire d'Anet, où elle avait préparé sa retraite et où elle vieillit dans les larmes. La jeune Marie d'Écosse fut couronnée avec son mari François II. C'était un enfant par l'esprit et par la faiblesse plus encore que par l'âge. Les Guise, oncles de Marie Stuart, recueillirent ce qu'ils avaient semé en conseillant ce mariage: ils régnèrent par leur nièce sur son mari, et par le roi sur la France. Ils eurent la témérité d'afficher hautement la prétention de la France à l'hérédité de la couronne d'Écosse, en confondant les armoiries des deux nations sur les écussons de la jeune reine. Ils signalèrent leur attachement à la cause du pape par le meurtre du calviniste Anne Dubourg, confesseur héroïque de la foi nouvelle. «Six pieds de terre pour mon corps et le ciel infini pour mon âme, voilà ce que j'aurai bientôt!» s'écria Anne Dubourg à l'aspect de la potence et en méprisant ses bourreaux. Marie Stuart, déjà d'un sang fanatique par sa mère, prit dans ces supplices infligés par ses oncles aux hérétiques l'âpre superstition des presbytériens.

Ce règne ne fut que de onze mois. La France perdait un fantôme de roi plus qu'un maître. À peine lui fit-elle des obsèques royales. Marie seule le pleura sincèrement, comme un compagnon doux et complaisant de son adolescence plus que comme un époux. Les vers de sa main qu'elle composa dans les premiers mois de son deuil n'exagèrent ni n'atténuent le sentiment de sa douleur. Ils sont doux, tristes et tièdes, comme une première mélancolie de l'âme, avant l'âge des désespoirs passionnés:

Ce qui m'estoit plaisant
Ores m'est peine dure;
Le jour le plus luisant
M'est nuit noire et obscure,

. . . .

Si en quelque séjour,
Soit en bois ou en prée,
Soit sur l'aube du jour
Ou soit sur la vesprée,
Sans cesse mon cœur sent
Le regret d'un absent.

. . . .

Si je suis en repos,
Sommeillant sur ma couche,
L'oy qui me tient propos,
Je le sens qui me touche.
En labeur et requoy,
Toujours est près de moy.

. . . .

C'est dans un couvent de Reims, où elle s'était retirée auprès de sa tante l'abbesse Renée de Lorraine, qu'elle se plaignait si doucement non du trône, mais de l'amour perdu. Elle y apprit bientôt après la mort de la reine d'Écosse, sa mère. Un nouveau trône l'attendait à Édimbourg, elle se prépara à ce départ.

Ah! s'écrie son poëte et son adorateur, le grand Ronsard, en apprenant ce prochain retour de la jeune reine en Écosse:

Comme le ciel s'il perdoit ses étoiles,
La mer ses eaux, le navire ses voiles,

. . . .

Et un anneau sa perle précieuse,
Ainsi perdra la France soucieuse
Son ornement, perdant la royauté
Qui fut sa fleur, son éclat, sa beauté!

L'Écosse, qui va nous la ravir, continue le poëte, fuirait si loin dans la brume de ses mers que ton vaisseau renoncerait à l'aborder.

Et celle donc qui la poursuit en vain
Retourneroit en France tout soudain
Pour habiter son château de Touraine,
Lors, de chansons j'aurois la bouche pleins
Et, dans mes vers, si fort je la louerois
Que comme un cygne en chantant je mourrois!

Le même poëte, la contemplant quelques jours avant son départ en habits de deuil dans le parc de Fontainebleau, retrace ainsi amoureusement son image et la confond pour jamais avec les belles ombres des Diane de Poitiers, des la Vallière et des Montespan qui peuplent, pour l'imagination, les eaux et les arbres de ce beau lieu:

. . . .

Un crespe long, subtil et délié,
Ply contre ply retors et replié,
Habit de deuil, vous sert de couverture
Depuis le chef jusques à la ceinture,
Qui s'enfle ainsi qu'un voile, quand le vent
Souffle la barque et la cingle en avant.

De tel habit vous estiez accoustrée,
Partant, hélas! de la belle contrée
Dont aviez eu le sceptre en la main,
Lorsque pensive, et baignant vostre sein
Du beau crystal de vos larmes roulées,
Triste, marchiez par les longues allées
Du grand jardin de ce royal chasteau
Qui prend son nom de la beauté d'une eau.

Qui ne sent dans de tels vers l'amant sous le poëte? Mais l'amour et la poésie même, selon Brantôme, étaient impuissants à reproduire à cette période encore croissante de sa vie une beauté qui était dans la forme moins encore que dans le charme; la jeunesse, le cœur, le génie, la passion qui couvait encore sous la sereine mélancolie des adieux; la taille élevée et svelte, les mouvements harmonieux de la démarche, le cou arrondi et flexible, l'ovale du visage, le feu du regard, la grâce des lèvres, la blancheur germanique du teint, le blond cendré de la chevelure, la lumière qu'elle répandait partout où elle apparaissait, la nuit, le vide, le désert qu'elle laissait où elle n'était plus, l'attrait semblable au sortilége qui émanait d'elle à son insu et qui créait vers elle comme un courant des yeux, des désirs, des âmes, enfin le timbre de sa voix qui résonnait à jamais dans l'oreille une fois qu'on l'avait entendu, et ce génie naturel d'éloquence douce et de poésie rêveuse qui accomplissait avant le temps cette Cléopâtre de l'Écosse sous les traits épars des portraits que la poésie, la peinture, la sculpture, la prose sévère elle-même nous ont laissés d'elle; tous ces portraits respirent l'amour autant que l'art; on sent que le copiste tremble d'émotion, comme Ronsard en peignant; un des contemporains achève tous ces portraits par un mot naïf qui exprime ce rajeunissement par l'enthousiasme qu'elle produisait sur tous ceux qui la voyaient: «*Il n'y avoit point de vieillards devant elle*, écrit-il: elle vivifioit jusqu'à la mort.»

VI

Un cortége de regrets plus que d'honneur la conduisit jusqu'au vaisseau qui allait l'emporter en Écosse. Le plus affligé de ses courtisans était le maréchal de Damville, fils du grand connétable de Montmorency. Ne pouvant la suivre en Écosse à cause de ses charges, il voulut y être perpétuellement représenté par un jeune gentilhomme de sa maison, du Chatelard, afin d'être entretenu sans cesse par ce correspondant des moindres événements et, pour ainsi dire, de la respiration même de son idole; du Chatelard, pour son malheur, était lui-même amoureux jusqu'au délire de celle auprès de qui il allait représenter un autre amour. C'était un descendant du chevalier Bayard, brave et aventureux comme son ancêtre; lettré et poëte comme Ronsard, âme légère propre à se brûler à ce flambeau. Tout le monde connaît les vers délicieux qu'elle écrivit à travers ses larmes sur le pont de son vaisseau en voyant fuir les côtes de France:

Adieu, plaisant pays de France,
Ô ma patrie
La plus chérie,
Qui a nourri ma jeune enfance!
Adieu, France, adieu, mes beaux jours!
La nef qui disjoint nos amours,
N'a eu de moi que la moitié,
Une part te reste, elle est tienne,
Je la fie à ton amitié
Pour que de l'autre il te souvienne!

Le 19 août 1561, le jour même où elle avait dix-neuf ans, elle toucha la terre d'Écosse. Les lords qui gouvernaient le royaume en son absence et le parti presbytérien de la nation la virent arriver avec répugnance. Ils redoutaient sa partialité présumée pour le catholicisme, dont elle avait dû être nourrie à la cour des Guise et de Catherine de Médicis. Néanmoins, le respect pour l'hérédité légitime et l'espoir de façonner une si jeune reine à d'autres idées l'emportèrent sur ces préventions; elle fut conduite en reine au palais d'Holyrood, séjour des rois d'Écosse, qui domine la capitale Édimbourg. Les citoyens d'Édimbourg, dans un langage muet qui exprimait en symbole leur soumission conditionnelle à sa royauté, lui présentent par les mains d'un enfant, sur un plat d'argent, les clefs de la capitale entre une Bible et un psautier presbytérien. Elle fut saluée reine d'Écosse, le lendemain, dans un splendide concours des lords écossais et des seigneurs français de sa famille ou de sa suite. Le Calvin de l'Écosse, le prophète et l'agitateur de la conscience du peuple, le féroce Knox, s'abstint de paraître à cette inauguration. Il semblait subordonner sa soumission comme sujet aux conditions exprimées par la Bible et le psautier sur le plat de l'offrande. Knox était le *Savonarole* d'Édimbourg, aussi insolent, aussi populaire et plus cruel que celui de Florence. Il était à lui seul entre le peuple, le trône et le parlement un quatrième pouvoir représentant la sédition sacrée qui comptait avec tous les autres pouvoirs. Homme d'autant plus redoutable à la reine que sa vertu était, pour ainsi dire, la conscience du crime. Être martyr ou faire des martyrs pour ce qu'il croyait la cause de Dieu était indifférent pour lui; il se dévouait lui-même au supplice, comment aurait-il hésité à dévouer les autres à l'échafaud?

À peine la première reine Marie avait-elle été investie de la régence, qu'il avait publié contre elle un pamphlet de réprobation intitulé: *Premier son de la trompette contre le gouvernement des femmes.*

«Il y avait dans le Lothian, province de la montagneuse Écosse, dit l'historien que nous citons, un lieu solitaire où Knox passait chaque jour de longues heures. À l'ombre des noisetiers, appuyé sur un rocher ou couché sur la mousse, près d'un étang, il lisait la Bible traduite en langue vulgaire; puis il couvait ses desseins, épiant avec anxiété l'instant propice à leur éclosion. Quand il était fatigué de lire et de penser, il se rapprochait de plus en plus de l'étang, s'asseyait au bord, et il émiettait du pain de son hôte aux poules d'eau et aux sarcelles sauvages qu'il avait fini par apprivoiser. Vive image de sa mission parmi les hommes auxquels il devait distribuer la parole, ce pain de vie! Knox aimait cette Thébaïde, cet enclos, ces rives de l'étang. «C'est là qu'il serait doux de se reposer, disait-il; mais il faut plaire au Christ.»

Plaire au Christ, c'était pour Knox, comme pour Philippe II d'Espagne et pour Catherine de Médicis de France, massacrer ses ennemis.

VII

La jeune reine, sentant qu'il fallait compter avec un tel homme, parvint à l'attirer au palais. Il y parut en habit calviniste, le manteau court, drapé sur l'épaule, la Bible sous le bras en guise de glaive: «Satan, dit-il, ne peut rien contre l'homme dont la main gauche jette une flamme qui éclaire sa main droite, quand il copie la nuit les saintes Écritures!—Je souhaiterais, lui dit la reine, que ma parole pût agir sur vous, comme la vôtre agit sur l'Écosse, nous nous entendrions, nous serions amis, et notre bonne intelligence serait la paix et le bonheur du royaume!—Madame, répondit le rude apôtre, la parole est plus stérile que le rocher quand c'est une parole mondaine; mais, quand elle est inspirée par Dieu, les fleurs, les épis et les vertus en sortent! J'ai parcouru l'Allemagne, je sais le droit saxon, lui seul est juste, il réserve le sceptre à l'homme, il ne donne à la femme qu'une place au foyer et une quenouille!»

C'était déclarer nettement à Marie Stuart qu'il ne voyait en elle qu'une usurpatrice, et qu'il était républicain de la république de Dieu.

La reine, consternée de l'impuissance de ses charmes, de sa parole et de son rang, sur ce cœur cuirassé de fanatisme, pleura comme un enfant devant le sectaire. Ces larmes l'attendrirent, mais ne le fléchirent pas, il continua à prêcher avec une sauvage liberté contre le gouvernement des femmes, et contre les pompes du palais. Le peuple, déjà aigri, s'endurcissait à sa voix.

«L'élève des *Guise*, parodie de la France, leur disait-il, farces, prodigalités, banquets, sonnets, déguisements...; le paganisme méridional nous envahit. Pour suffire à ces abominations, les bourgeois sont rançonnés, le trésor des villes est mis au pillage. L'idolâtrie romaine et les vices de France vont réduire l'Écosse à la besace. Les étrangers que cette femme nous amène ne courent-ils pas la nuit dans la bonne ville d'Édimbourg, ivres et perdus de débauche?

«Il n'y a rien à espérer de cette Moabite, ajouta-t-il; autant vaudrait pour l'Écosse bâtir sur des nuages, sur un abîme, sur un volcan. L'esprit de vertige et d'orgueil, l'esprit du papisme, l'esprit de ses damnés oncles les Guise est en elle.»

Elle se jeta dans les bras des seigneurs, repoussée qu'elle était par le cœur du peuple; elle confia la direction du gouvernement à un bâtard de son père Jacques V, nommé lord James, qu'elle traita en frère, et qu'elle éleva au rang de comte de Murray. Murray était digne, par son caractère et par son esprit, de la confiance de sa sœur; jeune, beau et éloquent comme elle, il avait de plus qu'elle la connaissance du pays, l'amitié des seigneurs, des ménagements prudents avec les presbytériens, l'estime du peuple, et cette habileté à la fois adroite et loyale qui est le don des grands politiques. Un tel frère était un favori donné par la nature à la jeune reine. Tant qu'il fut seul, il popularisa en effet sa sœur par le gouvernement comme par les armes. Il l'a conduisit au milieu des camps, qu'elle ravit par ses charmes et par son courage. Son adresse au maniement du cheval étonnait les Écossais. Elle assista à la bataille de Coréchée, dans laquelle Murray vainquit et tua le comte d'Huntly, chef des révoltés contre la reine. Marie rentra en triomphe à Édimbourg, maîtresse de l'Écosse pacifiée. Le protestantisme modéré, mais pieux de Murray, contribuait à cette pacification, en donnant un gage de tolérance et même de faveur à la nouvelle religion; tout permettait à Marie Stuart un régime heureux pour l'Écosse et pour elle, si son cœur n'avait pas eu d'autres agitations que celle de la politique. Mais ce cœur n'était pas seulement celui d'une reine, il était celui d'une femme accoutumée, à la cour de France, à l'idolâtrie professée par tout un royaume pour sa beauté. Les nobles écossais n'étaient pas moins ivres que les Français de ce culte chevaleresque; mais se déclarer sensible aux hommages d'un de ses sujets, c'était s'aliéner par la jalousie tous les autres. Cette vigilance politique sur elle-même, à l'égard des seigneurs écossais, qui lui était recommandée par son frère et son ministre Murray, fut précisément ce qui la perdit. Un obscur favori s'insinua insensiblement et comme à son insu dans son cœur. Ce favori, célèbre depuis par sa fortune et par sa mort tragique, se nommait David Rizzio.

VIII

Rizzio était un jeune Italien d'une naissance infime et de condition presque domestique, doué d'une figure heureuse, d'une voix touchante, d'un esprit souple tant que son sort fut de plier devant les grands; devenu habile à jouer du luth, à composer et à chanter cette musique langoureuse qui est une des mollesses de l'Italie, Rizzio avait été attaché à Turin, comme musicien serviteur de la maison de l'ambassadeur de France en Piémont. À son retour en France, l'ambassadeur avait amené Rizzio avec lui, à la cour de François II; attaché à un des seigneurs français qui avait escorté Marie Stuart en Écosse, la jeune reine l'avait demandé à ce seigneur pour conserver auprès d'elle, dans ce royaume où elle se sentait moins reine qu'exilée, un souvenir vivant des arts, des loisirs et des délices de la France et de l'Italie, pays de son âme; musicienne elle-même autant que poëte, charmant souvent ses tristesses par la composition des paroles et des airs dans lesquels elle exhalait ses soupirs, la société du musicien piémontais lui était devenue habituelle et chère. L'étude de son art et l'infériorité même de la condition de Rizzio couvraient, aux yeux de la cour d'Holyrood, l'assiduité et les familiarités de ce commerce. L'amour pour l'artiste n'avait pas tardé à naître de l'attrait pour l'art. Il y a dans la musique une langue sans paroles, qui permet à ceux qui l'exercent ensemble de tout dire sans rien exprimer; le sentiment vague et passionné de la voix ou de l'instrument, qui s'adresse à tous, ne peut offenser personne en particulier, mais il peut, au gré de celle qui l'entend, s'interpréter comme un hommage timide ou comme un soupir brûlant, auquel il ne manque que son nom pour devenir un aveu; deux regards qui se rencontrent dans ce moment d'extase musicale achèvent la muette intelligence; de là à une passion mutuelle, devinée ou avouée, il n'y a qu'un moment d'audace ou un moment de faiblesse.

La musique a de plus, pour le musicien ou pour le chanteur, une autre séduction toute-puissante non-seulement sur les sens, mais sur l'âme même des femmes supérieures, c'est qu'elles attribuent naturellement à celui qu'elles écoutent les sentiments exprimés par la musique elle-même; ces notes délicieuses, passionnées, héroïques de la voix ou de l'instrument leur paraissent contenir une âme; à l'émission de ces sublimes ou touchants accords, elles ne peuvent séparer la musique du musicien, et la magie de l'air, de la voix ou de l'instrument se confond dans leur impression avec la magie de l'homme. Marie Stuart éprouva ce péril, et sa jeunesse, sa mélancolie, sa solitude au milieu d'une cour barbare ne la disposaient que trop à y succomber. Tout indique que Rizzio, après avoir été une diversion à ses ennuis, devint un confident et un consolateur. Sa faveur, d'abord inaperçue, éclata en passion et bientôt après en scandales. La jeune et superbe reine d'Écosse était trop tendre pour rien refuser à sa passion, trop fière pour rien concéder à la décence. Le musicien élevé rapidement par elle de sa condition domestique au sommet du crédit et des honneurs, devint, sous le nom de secrétaire d'État, le favori plus que le ministre de sa politique. C'est le malheur des reines belles, aimantes et aimées de ne pouvoir séparer ces deux titres et de confier leur empire à celui auquel elles ont donné leur cœur.

IX

Les rumeurs du palais sur cette passion de la reine pour l'Italien ne tardèrent pas à retentir jusque dans la ville et de là dans toute l'Écosse; Knox fit retentir les chaires sacrées de ses allusions ou de ses apostrophes aux corruptions de la Babylonienne. Murray s'attrista, les nobles s'offensèrent, le clergé fulmina, le peuple s'aigrit contre la reine. Le palais n'était plein que de tournois, de festins, de chasses, de fêtes, de spectacles, de musiques, couvrant ou trahissant d'ignobles amours. La reine s'aliénait tous les cœurs pour en posséder un seul; et ce cœur était celui d'un histrion, d'un joueur de luth, d'un Italien, d'un Français, d'un papiste réprouvé qu'on faisait passer pour un envoyé secret du pape, chargé de séduire la reine pour enchaîner la conscience du royaume.

X

Tout indique que Marie Stuart et Rizzio voulurent faire une tragique diversion à cette animadversion publique en sacrifiant à la rage presbytérienne du peuple un autre amant que l'amant véritable, et en donnant pour satisfaction au clergé protestant le sang d'un pauvre insensé! Cet insensé était le page du maréchal de Damville, ce jeune du Chatelard, resté, comme on l'a vu, à Holyrood pour y entretenir par correspondance son maître de tout ce qui touchait la reine, son idole. Du Chatelard, traité en enfant par l'indulgence et par le badinage de Marie Stuart, avait conçu pour sa maîtresse une passion qui allait jusqu'à la démence; la reine l'encourageait trop pour avoir le droit de la punir. Du Chatelard, sans cesse admis dans la familiarité la plus intime de sa maîtresse, avait fini par confondre le badinage et le sérieux, et par se persuader que la reine ne désirait qu'un prétexte pour tout accorder à son audace. Les dames du palais le découvrirent un soir, à l'heure du coucher, caché sous le lit de la reine; il en fut expulsé avec indignation, mais on n'attribua cette témérité qu'à l'étourderie de son âge et de son caractère. La raillerie fut sa seule punition. Il continua à professer à la cour son culte d'adoration pour Marie Stuart, à remplir le palais de ses vers amoureux et à réciter aux courtisans ceux que Ronsard, toujours possédé de la même image, adressait de Paris à la reine de sa lyre.

. . . .

Quand cet yvoire blanc qui enfle votre sein,
Quand vostre longue, gresle et délicate main,
Quand vostre belle taille et vostre beau corsage

Qui ressemble au pourtraict d'une céleste image;
Quand vos sages propos, quand vostre douce voix
Qui pourroit esmouvoir les rochers et les bois,
Las! ne sont plus icy; quand tant de beautez rares
Dont les grâces des cieux ne vous furent avares
Abandonnant la France, ont d'un autre costé
L'agréable sujet de nos vers emporté;
Comment pourroient chanter les bouches des poëtes,
Quand par vostre départ les Muses sont muettes?
Tout ce qui est de beau ne se garde longtemps:
Les roses et les liz ne règnent qu'un printemps.

Ainsi vostre beauté, seulement apparüe
Quinze ans en nostre France est soudain disparüe,
Comme on voit d'un esclair s'évanouir le trait,
Et d'elle n'a laissé sinon que le regret,
Sinon le desplaisir qui me remet sans cesse
Au cœur le souvenir d'une telle princesse.

. . . .

J'envoiray mes pensers qui volent comme oiseaux;
Par eux je revoiray sans danger à toute heure
Cette belle princesse et sa belle demeure:
Et là pour tout jamais je voudray séjourner,
Car d'un lieu si plaisant on ne peut retourner.

. . . .

La nature a toujours dedans la mer lointaine,
Par les bois, par les rocs, sous les monceaux d'areine,
Fait naistre les beautez, et n'a point à nos yeux
N'y à nous fait présent de ses dons précieux:
Les perles, les rubis sont enfants des rivages,
Et toujours les odeurs sont aux terres sauvages.
Ainsi Dieu, qui a soin de vostre royauté,
A fait (miracle grand) naistre votre beauté
Sur le bord estranger, comme chose laissée
Non pour nos yeux, hélas! mais pour notre pensée!

. . . .

Ces beaux vers de Ronsard auraient dû être l'excuse de la passion d'un poëte aussi épris, mais moins discret que lui.

Du Chatelard, surpris une seconde fois caché derrière les rideaux du lit de la reine, fut mis en jugement et condamné à mort par les juges d'Édimbourg pour attentat médité contre la reine. D'un mot, Marie Stuart pouvait commuer la peine ou faire grâce au coupable. Elle l'abandonna lâchement au bourreau. Monté sur un échafaud dressé en face des fenêtres du palais d'Holyrood, théâtre de son délit et séjour de la reine, il mourut en héros et en poëte. «Si je ne suis pas *sans reproche* comme le chevalier Bayard, mon ancêtre, dit-il, je suis du moins *sans peur* comme lui.» Il récita pour toute prière sur l'échafaud la belle ode de Ronsard sur la Mort; puis, portant son dernier regard et sa dernière pensée sur les fenêtres du château qu'habitait le charme de sa vie et la cause de sa mort: «Adieu, s'écria-t-il, toi si belle et si cruelle, qui me tues et que je ne puis cesser d'aimer!»

Cette tragédie fut comme le prélude de toutes celles qui devaient bientôt après consterner et ensanglanter ce palais des voluptés et des crimes.

XI

Mais déjà la politique se mêlait à l'amour pour corrompre les félicités de la jeune reine. L'Angleterre, par droit de parenté, exerçait de tout temps une sorte de médiation consacrée par l'habitude et par la force sur l'Écosse. Elisabeth, fille de Henri VIII, moins femme qu'homme d'État, n'était pas de caractère à laisser périmer ce droit de médiation. Elle devait y tenir politiquement et personnellement, d'autant plus que la reine d'Écosse, Marie Stuart, avait des droits éventuels et plus légitimes même que les siens à la couronne d'Angleterre. Dans le cas où Elisabeth, qui s'honorait du titre de la reine vierge, viendrait à mourir sans héritier, Marie Stuart pouvait être appelée à lui succéder sur les deux trônes. Le mariage de la reine d'Écosse était donc une question qui intéressait essentiellement Elisabeth; selon que la princesse écossaise épouserait un prince étranger, un Écossais ou un Anglais, le sort de l'Angleterre pouvait être influencé puissamment par le roi que Marie associerait à ses couronnes. Elisabeth avait commencé par appuyer quelque temps les prétentions de son propre favori, le beau Leicester, à la main de Marie Stuart; puis la jalousie l'avait retenue; elle reporta sa faveur sur un jeune Écossais de la maison presque royale des Lenox, dont le père lui était dévoué et habitait sa propre cour. Elle fit insinuer à Marie Stuart qu'un tel mariage cimenterait entre elles une éternelle amitié et serait agréable à la fois aux deux nations. Le jeune Darnley, fils du comte Lenox, exclurait les princes étrangers dont la domination menacerait l'indépendance de l'Écosse et plus tard peut-être de l'Angleterre; il donnerait à la reine un gage de bonne harmonie intérieure et de foi commune au catholicisme; il plairait aux Anglais, car sa maison avait des biens immenses en Angleterre et habitait Londres; enfin, il conviendrait aux Écossais, car il était Écossais de sang et de race, et les nobles d'Écosse se surbordonneraient plus volontiers à un de leurs plus grands compatriotes qu'à un Anglais ou à un étranger. Ces motifs parfaitement raisonnables n'attestent nullement dans Elisabeth, à cette époque, la perfidie et la haine que les historiens lui supposent dans cette négociation. Elle donnait certainement en ceci à sa sœur d'Écosse, Marie Stuart, le plus sage conseil qui pût assurer, avec son repos, le bonheur de son peuple et l'amitié entre les deux couronnes. Ce conseil, de plus, ne pouvait qu'être bien accueilli par une jeune reine dont le cœur devait précéder la main, car le jeune Darnley, à la fleur de son adolescence, était un des plus beaux gentilshommes qui pussent captiver par les grâces de leur figure et de leur personne les yeux et le cour d'une jeune reine.

Rizzio aurait été le seul obstacle peut-être au consentement de Marie Stuart; mais, soit prompte satiété d'amour dans une femme inconstante, soit politique raffinée de Rizzio qui concédait le trône pour garder le cœur, il favorisa lui-même de tous ses efforts la pensée d'Elisabeth. Il pensa sans doute qu'il ne pourrait résister seul longtemps à l'envie des nobles écossais ligués contre lui, qu'il fallait un roi pour les assujettir à l'obéissance, et que ce roi, d'un extérieur charmant, mais d'un caractère et d'une intelligence subalternes, lui serait à jamais reconnaissant de l'avoir porté au trône et le laisserait régner, à l'abri de l'envie publique, sous son nom. L'histoire à cet égard n'a que des conjectures, mais la passion renaissante ou continuée de Marie Stuart pour son favori fait présumer qu'elle n'accepta Darnley que pour conserver Rizzio.

XII

Darnley parut à Holyrood et enleva tous les yeux par son incomparable beauté. Cette beauté seulement, qui n'était pas encore accomplie par l'âge, manquait de cette virilité que donnent les années. Il y avait de l'adolescent dans son visage et de la femme dans sa taille, trop svelte et trop chancelante pour un roi. Marie Stuart parut changer de cœur en le voyant et donner son âme avec sa couronne. Les récits adressés par l'ambassadeur français à sa cour représentent ce mariage comme l'union de deux amants s'effaçant l'un l'autre par leurs charmes, et s'enivrant dans des fêtes prolongées du premier bonheur de leur vie. Les presbytériens seuls et Knox, à leur tour, faisaient discordance à ce bonheur par leurs murmures: «Soyons contents, disait ironiquement le comte de Marton, nous allons être gouvernés par un bouffon Rizzio, un enfant imbécile Darnley, et une princesse au cœur faible Marie Stuart!»—«On vous dira, écrit à Catherine de Médicis Paul de Foix, son envoyé à Holyrood, la vie gracieuse et aisée de ladite dame, employant tous les matins à la chasse et le soir aux danses, musiques et mascarades!»—«Ce n'est pas une chrétienne, s'écriait Knox dans sa chaire, ce n'est pas même une femme; c'est une divinité païenne: c'est *Diane* le matin, *Vénus* le soir!...»

XIII

Murray, le frère bâtard de Marie, qui lui avait affermi le royaume sous ses pas par sa haute et sage administration, ne tarda pas à être congédié par le nouveau roi, conseillé et dominé par le favori Rizzio. Il se retira dans l'estime des nobles et dans la sévère popularité de la nation. La légèreté de la reine écarta, par complaisance pour un musicien, le seul homme d'État de l'Écosse, pour laisser gouverner le caprice. Sous l'empire de Charles IX, qui méditait la Saint-Barthélemy, du duc d'Albe, ce bourreau sacré de Philippe II, et de Catherine de Médicis, l'âme de la persécution religieuse en France, Marie Stuart s'associa secrètement à la ligue de Bayonne qui ourdissait un plan d'unité religieuse pour toute l'Europe par l'extermination du protestantisme partout. Elle se vanta hautement de conduire bientôt ses troupes écossaises et ses alliés catholiques du continent à la conquête de l'Angleterre, et au triomphe du pape jusqu'à Londres. On comprend ce que de tels propos, rapportés immédiatement à Elisabeth par ses envoyés à Holyrood, semèrent de dissension sourde et d'animosité entre les deux reines. Les rivalités féminines s'associèrent en elles aux rivalités religieuses et politiques pour envenimer de levains sanglants leur hypocrite amitié. L'inconstance de Marie Stuart ne tarda pas à commencer d'elle-même la vengeance d'Elisabeth.

XIV

Marie Stuart avait passé en peu de jours, après son mariage, de son enjouement tout fugitif pour l'adolescent qu'elle avait cru aimer à la passion plus indomptable et plus enracinée pour Rizzio. Les retours de passion sont frénétiques chez les femmes de cette nature; elles se reprochent comme un crime l'inconstance trompée de leur cœur qui les a jetées un moment dans l'illusion d'un autre amour; elles sont capables de tous les excès pour expier le remords et pour se faire pardonner leur infidélité d'un moment.

XV

Marie Stuart, refroidie ainsi pour Darnley, prodigua tout à Rizzio: le crédit, l'empire, les honneurs, l'éclat déhonté des familiarités les plus hardies. Elle viola les convenances de l'étiquette presque sacrée du temps jusqu'à l'admettre seul à sa table, dans ses appartements intérieurs; elle supprima le nom du roi des actes publics, pour y faire apposer le nom de Rizzio. L'Écosse crut avoir deux rois, ou plutôt le roi nominal disparut pour faire place au favori. Il faut remonter jusqu'à l'empire romain pour retrouver, dans l'histoire des scandales du trône, un tel avilissement de la majesté royale dans le prince, une telle ostentation d'infidélité dans l'épouse.

Darnley, dévoré à la fois de honte et de jalousie, supportait tout comme un enfant qui rêve la vengeance, mais qui n'a pas la force de l'accomplir. Les nobles écossais, humiliés dans sa personne, attisèrent secrètement en lui ces ferments de haine, et s'offrirent pour le délivrer à la fois et d'une épouse criminelle et de l'indigne rival qu'elle donnait pour roi au royaume. Un complot, pour ainsi dire national, s'ourdit entre eux et Darnley, pour la mort du favori, l'emprisonnement de la reine, la restauration du pouvoir royal dans les mains du roi outragé; le clergé et le peuple étaient d'avance dans la conjuration; on n'avait pas besoin de se cacher d'eux; on n'était sûr non-seulement de l'impunité, mais de l'applaudissement public. Le comte de Murray, ce frère de la reine qu'elle avait éloigné si imprudemment pour se livrer à l'ascendant de Rizzio, fut consulté et reçut avec mesure les demi-confidences des conjurés; trop honnête homme pour tremper, par son consentement, dans un assassinat, il donna son approbation ou du moins son silence à l'entreprise de délivrance de l'Écosse; il promit de revenir à Holyrood, à l'appel des seigneurs, et de reprendre sous le roi les rênes du gouvernement, dans l'intérêt de l'héritier du trône, que Marie Stuart portait déjà dans son sein. Rizzio, abattu et enchaîné, devait être simplement embarqué et rejeté sur les côtes de France. La reine et ce favori, mal servis par une cour désaffectionnée, ne soupçonnaient rien encore de la conjuration, que les conjurés, accourus, pour le crime, des châteaux les plus éloignés de l'Écosse, étaient déjà rassemblés, armés et debout dans l'antichambre de la reine.

C'était dans la nuit du 9 au 10 mars 1566; Darnley, le comte de Lenox, son père, lord Ruthven, George Douglas, Lindsay, André Kev et quelques autres lords du parti protestant attendaient l'heure dans la chambre du roi. Trois cents hommes d'armes, réunis par leurs soins des différents comtés, à Édimbourg, se glissèrent un à un et en silence, par le faubourg qui monte d'Édimbourg au château, sous l'ombre des murs, prêts à porter secours aux conjurés si les gardes de la reine tentaient de la défendre.

D'après l'ambassadeur de France, le meurtre aurait eu un prétexte plus flagrant et plus atténuant pour l'assassinat du favori que les historiens ne le racontent.

«... Le roi, dit Paul de Foix à Catherine de Médicis, quelques jours auparavant, environ une heure après minuict, seroit allé heurter à la chambre de la royne, qui estoit au-dessus de la sienne. Et d'aultant que, après avoir plusieurs fois heurté, l'on ne lui respondoit point, il auroit appellé souvant la royne, la priant de ouvrir, et enfin la menaçant de rompre la porte, à cause de quoy elle luy auroit ouvert; laquelle le roy trouva seule dedans la chambre; mais ayant cherché partout, il auroit trouvé dedans le cabinet David en chemise, couvert seullement d'une robe fourrée.»

Ce fut, selon toute apparence, la version officielle donnée par le roi et ses complices; les témoins et les acteurs mêmes du meurtre en donnèrent plus tard une plus véridique. Voici cette version attestée par lord Ruthven, un des assassins, après sa fuite en Angleterre, et confirmée par l'unanimité des témoignages et des documents:

La reine prolongeait sans défiance un souper nocturne avec son favori, en compagnie d'une seule confidente, dans une petite pièce du château attenante à la chambre à coucher. Laissons parler ici l'écrivain français, qui a étudié sur place et dans les sources les circonstances les plus minutieuses de l'événement, et qui les grave en les racontant:

«Le roi, dit-il, avait soupé chez lui, en compagnie du comte de Morton, de Ruthven et de Lindsey; son appartement, un rez-de-chaussée, élevé de quelques marches, était situé au-dessous de l'appartement de Marie, dans la même tour. Au dessert, il envoya voir qui était avec la reine. On lui vint dire que la reine finissait de souper de son côté, dans son cabinet de repos, avec la comtesse d'Argile, sa sœur naturelle, et Rizzio. Leur conversation avait été enjouée et brillante. Le roi monta par un escalier dérobé, pendant que Morton, Lindsey et une troupe de leurs vassaux les plus braves envahissaient le grand escalier, et dispersaient sur leur passage quelques amis de la reine et ses serviteurs.

«Le roi entra de la chambre dans le cabinet de Marie. Rizzio, en manteau court, en veste de satin, en culotte de velours rougeâtre, était assis et couvert; il avait sur la tête sa toque ornée d'une plume. La reine dit au roi: «Monseigneur, avez-vous déjà soupé? Je croyais que vous soupiez maintenant.» Le roi se pencha sur le dossier du fauteuil de la reine, qui se retourna vers lui; ils s'embrassèrent, et Darnley prit part à l'entretien. Sa voix était émue, son visage était pourpre, et, de temps en temps, il jetait un regard furtif vers la petite porte qu'il avait laissée entr'ouverte. Bientôt apparut, sous les franges des rideaux qui la recouvraient, un homme pâle, Ruthven, qui tremblait encore de la fièvre, et qui, malgré son extrême affaiblissement, avait voulu être de l'expédition. Il était vêtu d'un pourpoint de Damas doublé de fourrure. Il avait un casque d'airain et des gantelets de fer. Il était armé comme pour un combat, et accompagné de Douglas, de Ker, de Ballentyne et d'Ormiston. Au moment où Morton et Lindsey forçaient avec fracas la chambre à coucher de Marie, et, s'y précipitant, allaient déborder dans le cabinet, Ruthven s'y rua, et son impétuosité fut telle, que le parquet en fut ébranlé. Il épouvanta les convives. Sa physionomie livide, farouche, bouleversée par la maladie et par la colère, glaçait de terreur. «Pourquoi êtes-vous ici, et qui vous a permis d'y pénétrer? s'écria la reine.—J'ai affaire à David, à ce galant que voilà,» répondit Ruthven d'une voix sourde. Un autre conjuré s'avançant, Marie lui dit: «Si David est coupable, je suis prête à le livrer à la justice.—Voilà la justice,» répliqua le conjuré en ôtant une corde de dessous son manteau. Tout hagard de peur, Rizzio recula dans un coin du cabinet. Il y fut suivi. Le pauvre Italien, se rapprochant de la reine, saisit sa robe en criant: «Je suis mort! *Giustizia! giustizia!* Madame, sauvez-moi! sauvez-moi!» Marie s'élança entre Rizzio et les assassins. Elle essaya de les arrêter. Alors chacun se pressa, se heurta dans cet étroit espace. Ce fut une mêlée, un tourbillon. Ruthven et Lindsey, brandissant leurs dirks nus, apostrophèrent rudement la reine. André Ker lui appuya même un pistolet sur le sein et la menaça de faire feu. Marie, lui montrant son ventre: «Tirez, dit-elle, si vous ne respectez pas l'enfant que je porte.»

La table fut renversée dans le tumulte. La reine luttant toujours, Darnley l'entoura de ses deux bras, la ploya sur un fauteuil où il la retint, tandis que plusieurs, serrant David par le cou, l'arrachaient du cabinet. Douglas s'empara de la dague même de Darnley, frappa le favori, et dit, en lui laissant la dague dans le dos: «Voilà le coup du roi!» Rizzio se débattait en désespéré. Il pleurait, il priait, il suppliait avec des gémissements lamentables. Il s'attacha au seuil du cabinet, puis il s'accrocha à la cheminée, puis il se cramponna au lit de la chambre de la reine. Les conjurés le menaçaient, le battaient, l'injuriaient, et lui faisaient lâcher prise en piquant ses mains de leurs armes. L'ayant enfin entraîné de la chambre à coucher dans la chambre de parade, ils le percèrent de cinquante-cinq coups de poignard.

La reine faisait des efforts surhumains pour voler au secours du malheureux Rizzio. Le roi avait peine à la contenir. Il la remit à d'autres, et accourut dans la chambre de parade, où Rizzio expirait. Il demanda s'il n'y avait pas encore de la besogne pour lui, et il enfonça dans ce pauvre cadavre le cinquante-sixième et dernier coup de poignard; après quoi Rizzio fut lié aux pieds avec la corde apportée par l'un des conjurés, et il fut traîné ainsi et descendu le long de l'escalier du palais.

Lord Ruthven rentra dans le cabinet de la reine, où la table avait été relevée. Il s'assit, et demanda un peu de vin. La reine s'emporta contre cette insolence. Ruthven répondit qu'il était malade, et se versa lui-même à boire dans une coupe vide, celle de Rizzio peut-être, puis il ajouta: «Nous ne voulions pas être gouvernés par un valet. Voici votre mari, c'est lui qui est notre chef.—Est-ce vrai? répliqua la reine, doutant encore de la mort de Rizzio.—Depuis quelque temps, vous vous étiez donnée à lui plus souvent qu'à moi,» dit Darnley. La reine allait lui répondre, lorsque vint un de ses officiers, auquel elle demanda aussitôt si l'on avait conduit David en prison, et où? «Madame, il ne faut plus parler de David, car il est mort.» Alors la reine poussa un cri, puis se tournant vers le roi: «Ah! traître, fils de traître, lui dit-elle, voilà la récompense que tu réservais à celui qui t'a fait tant de bien et tant d'honneur! Voilà ma récompense à moi, qui, par son conseil, t'ai élevé à une dignité si haute! Ah! plus de larmes, mais la vengeance! Je n'aurai de joie que lorsque ton cœur sera aussi désolé que l'est aujourd'hui le mien.» En achevant ces paroles, la reine s'évanouit.

Tous les amis qu'elle avait à Holyrood s'enfuirent en désordre, le comte d'Atholl, les lords Fleming et Levingston s'échappèrent par un couloir obscur. Les comtes de Bothwell et de Huntly se laissèrent glisser le long d'un pilier dans les jardins.

Cependant un frisson avait passé sur la ville. Le tocsin avait sonné; les bourgeois d'Édimbourg, conduits par le lord-prévôt, se rassemblèrent un instant autour d'Holyrood. Ils s'enquirent de la reine, qui revenait à elle. Tandis que les conjurés la menaçaient, si elle appelait, de la tuer et de la jeter par-dessus les murs, d'autres conjurés disaient aux bourgeois que tout allait bien, que seulement on avait dagué le favori piémontais, qui s'entendait avec le pape et le roi d'Espagne pour détruire la religion du saint Évangile. Darnley lui-même ouvrit une fenêtre de la tour fatale, et pria le peuple de se retirer, l'assurant que tout s'était fait sur l'ordre de la reine, et qu'il serait instruit le lendemain.

Retenue prisonnière dans son propre palais dans sa chambre à coucher, sans une de ses femmes, Marie demeura seule toute la nuit, livrée à toutes les horreurs de son désespoir. Elle était grosse de six mois. Ses émotions furent si profondes, que l'enfant qu'elle portait, qui fut depuis Jacques Ier ne put jamais voir une épée nue sans un tressaillement d'effroi.

XVI

Mais, si le crime de Marie Stuart était d'une femme, la vengeance était d'un enfant. Rizzio s'était fié à l'amour, les complices du roi à une jalousie presque puérile. Ce sentiment était aussi inconsistant que l'amour dans le cœur d'un mari vengé, et qui pardonnait déjà l'infidélité de la reine pourvu qu'elle lui pardonnât la vengeance. La reine, refoulant avec une dissimulation italienne et féminine l'outrage et le ressentiment dans son âme, afin de mieux y préparer l'expiation, passa en quelques heures des imprécations et des sanglots à une feinte résignation. Tremblant pour son trône, pour sa liberté, pour sa vie et pour celle de l'enfant qu'elle portait dans son sein, elle entreprit de séduire à son tour l'époux outragé dont la colère semblait s'être tout à coup éteinte dans le sang de son rival. L'imagination seule peut mesurer la profondeur de cette dissimulation vengeresse de la reine envers celui qui avait donné le dernier coup de dague au cadavre de son favori! Mais toutes les grandes passions sont des prodiges; si on les mesure à la nature ordinaire de nos sentiments, on se trompe; il ne faut les mesurer qu'à elles-mêmes; l'impossible est la mesure de ces passions.

Cet impossible fut dépassé par la promptitude avec laquelle Marie Stuart séduisit, reconquit et posséda plus que jamais les yeux et le cœur de son jeune époux. Dès le 12 mars, c'est-à-dire lorsque le sang de Rizzio fumait encore sur le parquet de sa chambre et sur la main de Darnley, dès le 12 mars, écrit l'envoyé français à sa cour, la reine reprit tout son empire sur les sens et sur le cœur de Darnley. La séduction fut si rapide et si complète, qu'on crut à un sortilége de la reine sur son mari; le sortilége n'était que la beauté de l'une, la jeunesse ardente de l'autre, et cette supériorité d'esprit d'une femme qui employait maintenant son génie et ses charmes à fléchir, comme elle les avait employés naguère à offenser.

XVII

Les rideaux de la couche de la reine couvrirent tout le mystère de cette réconciliation et de la conspiration nouvelle du roi avec la reine contre ses propres complices dans le meurtre du favori; cette conspiration éclata subitement le 15 mars, six jours après l'assassinat, par la fuite nocturne du roi et de la reine au château de Dunbar, forteresse d'où le roi pouvait braver ses complices, et la reine ses ennemis. De là, Marie Stuart écrit à sa sœur Elisabeth d'Angleterre pour lui raconter, en les colorant, ses malheurs, et pour lui demander secours contre ses sujets révoltés; elle appelle à Dunbar tous les contingents des nobles innocents de la conspiration contre elle; huit mille Écossais fidèles accourent à sa voix; elle marche avec le roi à la tête de ces troupes sur Édimbourg. L'étonnement et la terreur l'y précèdent; la présence du roi déconcerte les nobles, le clergé, le peuple insurgés. Elle rentre sans combat à Holyrood. Elle fait défendre, par ses proclamations, d'imputer à Darnley toute participation au meurtre de Rizzio, elle fait trancher la tête à tous les complices tombés sous sa main; Ruthven, Douglas, Morton s'enfuient d'effroi hors des frontières; elle rappelle à la tête de ses conseils l'habile et vertueux Murray, qui s'était assez compromis dans la conspiration pour sa popularité, assez réservé pour sa vertu. Enfin, satisfaisant son cœur après avoir satisfait son ambition, elle jette le masque, elle pleure Rizzio, elle fait exhumer le corps de son favori, lui fait des obsèques royales et l'ensevelit elle-même dans le sépulcre des rois, dans la chapelle d'Holyrood.

Réconciliée avec Darnley qu'elle méprisait de plus en plus, servie par Murray qui lui ramenait la nation, elle accoucha, le 17 juin suivant, du fils qui devait un jour régner sur l'Angleterre. Une amnistie habile, dictée par Murray, pardonna, à l'occasion de cette naissance, aux conjurés et fit rentrer les proscrits dans leur patrie et dans leurs domaines. L'heure de sa vengeance contre son mari sonnait déjà en secret dans son cœur. Son aversion pour lui s'envenimait tous les jours, et elle ne prenait plus la peine de la dissimuler. Melvil, un de ses confidents les plus intimes, dit dans les mémoires qu'il écrivit sur le règne de sa maîtresse: «Je lui trouve toujours, depuis le meurtre de Rizzio, un cœur plein de rancune, et c'était mal lui faire sa cour que de lui parler de sa réconciliation avec le roi!» Ces témoignages confidentiels sont le cœur ouvert des personnages sous le masque des fausses apparences.

XVIII

Le secret de cette aversion croissante était un amour plus semblable à une fatalité du cœur, le destin d'une Phèdre moderne, qu'à l'égarement d'une femme et d'une reine dans un siècle de plein jour.

L'objet de cet amour était aussi étrange que cet amour lui-même était inexplicable autrement que par la magie et la possession, explications surnaturelles des phénomènes des cœurs dans ce temps de superstition. Mais le cœur des femmes a plus de mystères que la magie elle-même n'en peut expliquer. L'homme que Marie Stuart commençait à aimer était Bothwell.

XIX

Le comte de Bothwell était un noble écossais d'une maison puissante et illustre dans les montagnes du Shetland. Il était né avec des instincts pervers et désordonnés qui portent indifféremment, d'exploits en exploits ou de forfaits en forfaits, un homme au trône ou à l'échafaud. C'était un désespéré, de mouvement, d'ambition, d'aventures, un de ces aventuriers plus grands que nature, qui brisent en croissant tout le système social dans lequel ils sont nés pour se faire une place à leur mesure ou pour succomber avec éclat en la cherchant. Il y a des caractères qui naissent frénétiques: Bothwell était de ceux-là. Le poëte Byron, qui descendait de lui par les femmes, a peint avec des couleurs de famille son ancêtre dans son poëme sombre et romanesque du *Pirate*. Le poëme n'approche pas de l'histoire; toujours la nature, qui est le souverain poëte, dépasse la fiction par la vérité.

XX

On ne sait pour quel crime précoce, par quelle proscription de la maison paternelle, ou par quelle fuite volontaire avec les brigands il s'était enrôlé, dans sa première jeunesse, avec les corsaires de l'océan qui teignaient alors de sang les côtes, les îles et les vagues de la mer du Nord. Son nom, son rang, son courage l'avaient élevé promptement au commandement d'une de ces escadres de criminels qui avaient pour repaire de leurs dépouilles et pour arsenal de leurs barques un château sur un écueil du Danemark. Les crimes de Bothwell, confondus avec les exploits parmi ces pirates, étaient restés dans l'ombre de son passé; mais son nom inspirait la terreur aux rivages baignés par la mer du Nord.

Après cette jeunesse orageuse, la mort de son père l'avait rappelé dans ses domaines d'Écosse, parmi ses sauvages vassaux. Les troubles de la cour d'Édimbourg l'avaient attiré à Holyrood; il y avait pressenti une plus large scène pour ses ambitions ou pour ses forfaits. Il était de ces chefs écossais qui, à l'appel du roi à ses sujets au château de Dunbar, étaient accourus avec leurs vassaux pour reconquérir ou pour piller Édimbourg. Depuis la rentrée de la cour à Holyrood, il s'était signalé parmi les partisans dévoués de la reine; soit calcul, soit fascination, soit espérance confuse de subjuguer le cœur d'une femme en étonnant son imagination, il n'avait pas tardé à la conquérir comme on conquiert le plus sûrement l'orgueil d'une femme, en paraissant dédaigner de la conquérir.

XXI

Il n'était plus dans la fleur de la jeunesse; mais, quoique borgne d'une blessure reçue à l'œil dans un de ses combats de mer, il était encore beau, non de cette beauté efféminée de Darnley, ni de cette beauté mélancolique et pensive de l'Italien Rizzio, mais de cette beauté sauvage et mâle, qui donne à la passion l'énergie de l'héroïsme. La licence de ses mœurs et les victoires de son libertinage l'avaient rendu célèbre à la cour d'Holyrood; il s'était attaché à plusieurs des femmes de cette cour, moins pour les posséder que pour les déshonorer. Une de ses maîtresses, lady Reves, femme débauchée, célébrée par Brantôme pour l'éclat de ses aventures, était la confidente de la reine; elle avait conservé pour Bothwell une admiration qui survivait à leur liaison; la reine, qui se complaisait à interroger sa confidente sur les exploits et les amours de son ancien favori, se laissa insensiblement entraîner par une fascination qui prenait l'apparence d'une curiosité bienveillante. La confidente, prévenant ou croyant prévenir les désirs non exprimés de la reine, introduisit un soir Bothwell dans les jardins et jusque dans l'appartement de sa maîtresse. Cette rencontre mystérieuse scella pour jamais l'ascendant de Bothwell sur la reine. La passion cachée n'en fut que plus dominante. Elle éclata au dehors, pour la première fois, quelques semaines après cette entrevue, à l'occasion d'une blessure reçue par Bothwell en combattant pour la police des frontières, dont il était chargé. En apprenant sa blessure, Marie monta à cheval, courut d'une seule course jusqu'à l'ermitage où l'on avait transporté Bothwell, s'assura par ses yeux de son état, et revint le même jour à Holyrood. «M. le comte de Bothwell est hors de danger, écrit, à cette date, l'ambassadeur de France à Catherine de Médicis; de quoi la reine est fort aise; ce ne lui eût pas été de peu de perte que de le perdre!...»

Elle avoue elle-même son anxiété dans des vers qu'elle composa à cette occasion:

Pour lui aussi j'ai pleuré mainte larme
Quand il se fit de ce corps possesseur
Duquel alors il n'avoit pas le cœur!
Puis me donna une autre dure allarme
Et me pensa ôter vie et frayeur!

Après sa guérison, Bothwell devint le maître du royaume. Tout lui fut prodigué comme à Rizzio; il reçut tout, non en sujet, mais en maître. Le roi, écarté du conseil et de la société même de sa femme, «se promenait toujours seul de côté et d'autre, dit Melvil, tout le monde voyant bien que la reine regarderait comme un crime de lui faire compagnie.»

La reine d'Écosse et son mari, écrit de son côté le comte de Bedford, envoyé d'Elisabeth à la cour d'Écosse, «sont ensemble comme ci-devant, et même encore pis; elle mange rarement avec lui; elle n'y couche jamais: elle ne se tient point en sa compagnie, et elle n'aime point ceux qui ont de l'amitié pour lui. Elle l'a tellement rayé de ses papiers, que lorsqu'elle est sortie du château d'Édimbourg pour aller au dehors, il n'en savait rien. La modestie ne permet pas de répéter ce qu'elle a dit de lui, et cela ne serait pas à l'honneur de la reine.» L'insolence du nouveau favori avait la férocité de son origine. Il leva le poignard en plein conseil devant la reine, pour frapper le conseiller qui faisait une objection à son avis.

Le roi, outragé tous les jours par son mépris et quelquefois par ses insolences, se retira à Glascow, dans la maison du comte de Lenox, son père. La reine et Bothwell craignirent qu'il n'y portât ses plaintes contre l'humiliation et l'impuissance auxquelles il était condamné, qu'il n'y fît appel aux mécontents de la noblesse et qu'il ne marchât à son tour contre Édimbourg. C'est à cette angoisse et à cette terreur, plus encore sans doute qu'à la passion d'épouser Bothwell, qu'il faut attribuer le crime odieux qui consterna le monde et dont Marie Stuart fut au moins la complice active et perfide, si elle n'en fut pas l'exécuteur. Il y eut, en effet, dans tous les actes de la reine qui précédèrent cette tragédie, non-seulement les indices d'une complicité atroce dans le plan d'assassiner son mari, mais quelque chose de plus atroce que l'atrocité même, c'est-à-dire l'artifice hypocrite d'une femme qui cache le meurtre sous l'apparence de l'amour et qui se prête au vil rôle d'embaucher la victime pour l'attirer sous le fer de son assassin.

Sans prêter aux termes de la correspondance, vraie ou apocryphe, de Marie Stuart avec Bothwell plus d'autorité historique que cette correspondance contestée n'en mérite, il est évident qu'une correspondance à peu près de cette nature a existé entre la reine et son séducteur, et que si elle n'a pas écrit ce que contiennent ces lettres non autographes, par conséquent suspectes, elle a agi dans tous les préliminaires de cette tragédie de manière à ne laisser aucun doute sur sa participation au piége où elle s'était chargée de ramener l'infortuné et amoureux Darnley.

Ces lettres, écrites de Glascow, par la reine à Bothwell, respirent la frénésie de l'amour pour son favori, et de l'aversion implacable contre son mari. Elles informent Bothwell, jour par jour, de l'état de la santé de Darnley et ses supplications pour que la reine lui rende ses privilèges de roi et d'époux, des progrès que les blandices de Marie Stuart font dans la confiance du jeune roi bercé d'espérances, de sa résolution de revenir avec elle partout où elle voudra le conduire, même à la mort, pourvu qu'elle lui rende son cœur et ses droits d'époux. Bien que ces lettres textuelles, nous le répétons ici, n'aient aucune authenticité matérielle à nos yeux, bien qu'elles portent même des traces de mensonge et d'impossibilité dans l'excès même des scélératesses et des cynismes qu'elles expriment, il est certain qu'elles se rapprochent beaucoup de la vérité, car un témoin grave et confidentiel des entretiens de Darnley et de la reine, à Glascow, donne de ces entretiens une relation parfaitement conforme au sens de cette correspondance; il relate même des expressions identiques à celles de ces lettres et qui attestent que, si les paroles ne furent pas écrites, elles furent pensées et prononcées entre la reine et son mari.

Nous écartons donc le texte invraisemblable de ces lettres, adoptées comme authentiques par M. Dargaud et par la plupart des historiens les plus accrédités de l'Angleterre, mais il nous est impossible de ne pas reconnaître que l'intervention de Marie Stuart dans ce piége de mort tendu à Darnley ne fut que le commentaire en action des perfidies que la correspondance lui prête.

En effet, la reine, à la nouvelle de la fuite de Darnley chez le comte de Lenox, son père, quitte soudainement son favori Bothwell; elle se rend dans un de ses châteaux de plaisance, nommé *Craig Millur*; elle y convoque secrètement les lords confédérés de son parti et du parti de Bothwell. L'ambassadeur de France y remarque sa tristesse et son anxiété; son angoisse entre la terreur de son mari et les exigences de son favori est telle, qu'elle s'écrie devant cet ambassadeur: «*Je voudrais être morte!*» Elle propose astucieusement aux lords rassemblés, amis de Bothwell, de céder à Darnley le gouvernement de l'Écosse. Ils se récrient, comme elle devait s'y attendre, et font entendre contre Darnley des menaces significatives de mort: «Nous vous délivrerons de ce compétiteur, lui disent-ils; Murray ici présent, mais protestant comme nous, ne participera pas à nos mesures; mais il nous laissera faire et *regardera entre ses doigts*! Laissez-nous agir nous-mêmes et, une fois les choses accomplies, le parlement approuvera tout!» Le silence de la reine autorise assez ces résolutions sinistres; son départ pour Glascow le lendemain les sert encore plus directement. Elle laisse les conjurés à *Craig Millur*; elle se rend, contre toute convenance et contre toute vraisemblance, à Glascow, elle y trouve Darnley convalescent de la petite vérole; elle le comble de tendresse; elle passe les jours et les nuits au chevet de son lit; elle renouvelle les scènes d'Holyrood après le meurtre de Rizzio; elle consent aux conditions conjugales que Darnley implore. On avertit en vain Darnley du danger qu'il court en suivant la reine à *Craig Millur*, au milieu d'un congrès de ses ennemis; il répond que le séjour lui paraît en effet étrange, mais qu'il suivra la reine qu'il adore jusqu'au trépas; la reine le devance en attendant qu'il soit rétabli, prolonge avec lui les plus tendres adieux et lui passe au doigt un anneau précieux, gage de réconciliation et d'amour.

Qu'y a-t-il dans ces lettres supposées de plus perfide que ces perfidies? Celles-là cependant sont authentiques; elles sont le récit, heure par heure, du séjour de Marie Stuart à Glascow, auprès de son mari.

XXII

Sûre désormais de l'attirer au piége, elle part et revole à Holyrood. Elle y arrive aux flambeaux, au milieu d'une fête qu'on lui a préparée. Darnley la suit de près; sous prétexte de ménager sa convalescence, on lui prépare un appartement solitaire dans une petite maison de plaisance, isolée, dans la campagne voisine d'Holyrood, nommée Kirts-Oldfield. On ne lui laisse pour serviteurs, dans cette maison, que cinq ou six hommes subalternes vendus à Bothwell et qu'il appelait, par contre-vérité, ses agneaux. Un page favori nommé Taylos couchait seul dans la chambre de Darnley. La reine vient l'y visiter avec les mêmes démonstrations de tendresse qu'à Glascow, mais elle refuse de l'habiter encore avec lui; il s'étonne de cet isolement, s'attriste, prie et pleure avec son page. Un pressentiment lui prophétisait la mort!

XXIII

Cependant les fêtes continuent à Holyrood. À l'issue d'une de ces fêtes pendant laquelle Bothwell s'était entretenu seul à seul avec la reine, le favori, d'après le témoignage de son valet de chambre d'Algleish, rentre chez lui et se couche. Un moment après, il appelle son valet de chambre et s'habille; un de ses agents entre du dehors et lui parle bas à l'oreille; il prend son manteau de cheval et son épée, couvre son visage d'un masque, sa tête d'un chapeau à larges bords et se rend à une heure du matin à la maison solitaire du roi.

Que se passa-t-il dans cette nuit mystérieuse? on l'ignore; ce qu'on sait seulement, c'est qu'une explosion terrible, entendue avant le crépuscule du matin à Holyrood et à Édimbourg, avait fait sauter la maison dont les débris devaient recouvrir la victime; mais que, par un étrange oubli des assassins, les deux cadavres de Darnley et du page, au lieu de se retrouver sous les décombres, se retrouvèrent le lendemain dans un verger attenant au jardin, portant sur leurs corps non les marques de la poudre, mais les marques de la lutte et de la strangulation. On supposa que le roi et son page, entendant, au commencement de la nuit, les pas des sicaires, étaient descendus au jardin, avaient voulu fuir par le verger, et, poursuivis et étranglés par les bourreaux de Bothwell, avaient été laissés sur la scène du meurtre, par négligence ou par ignorance de l'explosion qui devait les engloutir eux-mêmes avec leurs victimes; on ajoute que Bothwell, croyant les cadavres de Darnley et du page dans la maison, avait fait allumer inutilement la mine pour tout ensevelir dans ce cratère, qu'il était rentré à Holyrood après l'explosion, croyant qu'il ne restait aucun vestige de meurtre et qu'on attribuerait tout à un amas de poudre involontairement allumé par l'imprudence du roi.

Quoi qu'il en soit, Bothwell rentra chez lui sans donner aucune marque d'agitation sur ses traits, se recoucha avant la fin de la nuit, et, quand on vint l'éveiller pour lui apprendre les événements, témoigna toute la surprise et toute la douleur de bienséance, et s'écria en se précipitant hors de son lit: «*Trahison!*»

On ne découvrit les deux cadavres étranglés dans le verger qu'en plein jour.

LAMARTINE.

FIN DU CLVI[e] ENTRETIEN.

Paris.—Typ. de Rouge frères, Dunon et Fresné, rue du Four-St-Germain, 43.

Notes

1: Les *Lettres de Lausanne*, si bien commentées par M. de Sainte-Beuve, démentent cette supposition.

Milton Keynes UK
Ingram Content Group UK Ltd.
UKHW011141220424
441551UK00007B/741